D1462685

LES CICATRICES
DE LA NUIT

# LES CICATRICES
# DE LA NUIT

Alexandre Galien

# Les cicatrices de la nuit

Roman

Fayard

Couverture : Le Petit Atelier
Illustration : © Getty

ISBN : 978-2-213-71312-0

Le prix du Quai des Orfèvres a été décerné sur manuscrit anonyme par un jury présidé par Monsieur Christian SAINTE, Directeur de la Police judiciaire, au 36, rue du Bastion. Il est proclamé par M. le Préfet de Police.

Novembre 2019

# PRIX DU QUAI DES ORFÈVRES

Le Prix du Quai des Orfèvres, fondé en 1946 par Jacques Catineau, est destiné à couronner chaque année le meilleur manuscrit d'un roman policier inédit, œuvre présentée par un écrivain de langue française.

• Le montant du prix est de 777 euros, remis à l'auteur le jour de la proclamation du résultat par M. le Préfet de police. Le manuscrit retenu est publié, dans l'année, par les Éditions Fayard, le contrat d'auteur garantissant un tirage minimal de 50 000 exemplaires.

• Le jury du Prix du Quai des Orfèvres, placé sous la présidence effective du Directeur de la Police judiciaire, est composé de personnalités remplissant des fonctions ou ayant eu une activité leur permettant de porter un jugement qualifié sur les œuvres soumises à leur appréciation.

• Toute personne désirant participer au Prix du Quai des Orfèvres, peut en demander le règlement au :

Secrétariat général du Prix du Quai des Orfèvres
36, rue du Bastion
75017 Paris

Site : www.prixduquaidesorfèvres.fr

E-mail : prixduquaidesorfevres@gmail.com

La date de réception des manuscrits est fixée au plus tard au 15 mars de chaque année.

À mon père, à Marie,
et à tous les oiseaux de nuit.

« C'est la nuit qu'il est beau de croire
à la lumière. »

Edmond Rostand,
*Chantecler*, Acte II – Scène 3.

« *Cet hôpital abandonné me fout les jetons. Je n'entends que le bruit de mes pas sur le sol. Rien d'autre n'existe autour de moi. J'ai laissé mes collègues derrière et je cours de plus en plus vite, dans la froideur du sanatorium d'Ardrycourt. La nuit est noire. Seule la lumière blafarde des rares néons qui fonctionnent encore me permet de voir où je mets les pieds. Je n'ai qu'une idée en tête. La sauver. À tout prix. Mon pied dérape et je manque de tomber. Putain de costard. J'ai cinquante ans, mon corps fatigue. Je serre fort mon arme. Si fort que j'ai l'impression que les mots Sig Pro resteront gravés dans ma paume. Le cliquetis de mes menottes dans la poche de ma veste. Passer les bracelets à cet enfoiré. J'accélère. Le sang bat de plus en plus fort sous mes tempes. Les battements de mon cœur résonnent dans mes tympans. De l'écume se forme sur mes lèvres. Je sens des gouttes de sueur sous ma chemise. Malgré le froid de novembre, ma veste me tient trop chaud. Ne pas la jeter. Je dois la garder sur moi. Pour la sauver. Il faudra bien que je la couvre pour la sortir de là. Je m'arrête. Au loin, un bruit de métal. Plus j'avance, plus la haine me prend aux tripes. Pendant quelques secondes, je pense que les menottes ne seront pas nécessaires. Une bavure. Une seule, dans une carrière sans taches. Qu'ai-je à perdre, finalement ? Pendant toute l'enquête, je me suis laissé berner. Une colère noire vient frapper le tréfonds de mon âme. Alors que le bruit métallique se rapproche, je l'identifie un peu mieux. Le son des chaînes. Son rituel a déjà commencé. J'accélère ma course. Chaque muscle de mon corps est une source de douleur indescriptible. Je fais taire mon cerveau, qui me somme d'arrêter. Mon bras gauche me lance. Comme une barre qui me transperce la poitrine. Le bruit se rapproche. Je suis tout près. Les deux-tons des renforts, au loin. Je ne suis plus seul. La réalité me rattrape. C'est maintenant ou jamais. Je n'aurai pas une autre occasion. J'accélère, encore. Le bruit est maintenant bien distinct. Sur ma droite, une porte. Un rai de lumière passe par l'embrasure. Elle est derrière, à la merci d'un sadique. Je me positionne face à l'entrée, braque mon arme et ouvre d'un coup de pied. »*

# Chapitre 1

Le regard brouillé par l'émotion, Philippe Valmy laisse couler une larme qui vient heurter la surface de son verre de whisky. Grisonnant, les yeux bleus, son visage est familier dans tout ce que Paris compte de clubs échangistes, boîtes de strip-tease, restaurants à la mode ou bars dansants. Voilà vingt ans qu'il écume les boîtes de nuit parisiennes en compagnie de Louis, son coéquipier.

Il ne s'est pas vu devenir vieux. Comme commandant à la brigade de répression du proxénétisme, groupe Cabarets, officiellement il gère les autorisations administratives des établissements de nuit. Mais sa vraie mission est de « prendre la température » du Paris nocturne. Savoir où se côtoient le show-biz, le grand banditisme et parfois les flics. Il connaît tout le monde, et tout le monde le connaît. C'est son métier. C'était son métier : ramener des infos,

15

entendre ce qui se dit entre deux portes ou deux banquettes de club libertin.

Ce soir, c'est son pot de départ. Il quitte le monde de la nuit et intègre la brigade criminelle. Sa femme, Élodie, le lui a demandé. Les virées nocturnes n'usent pas que les flics. Les paillettes seront remplacées par des gouttes de sang, les boîtes de nuit par des scènes de crime, et les verres vidés sur un coin de comptoir vont se transformer en longues autopsies. Il n'y a bien que dans la police que l'on peut changer de boulot à cinquante ans.

Après le long discours de son chef de service, Philippe a inauguré le buffet, servant les premières coupes de champagne à ses amis, ses collègues, tous ceux qu'il a croisés et aimés pendant vingt ans de PJ parisienne. Dans les locaux tout neufs du Bastion, qui remplace le 36, quai des Orfèvres, de longues tables s'étirent le long du couloir, garnies de cacahuètes et de charcuterie. Des rires se font entendre, quelques pique-assiette tiennent le siège autour du pain-surprise, et lui, la star de la fête, se retrouve seul au bout du couloir, à larmoyer comme un môme dans son verre de Jack Daniel's.

« Putain, ils ont même pas eu le bon goût d'acheter une bouteille de single malt. » Louis se tient devant lui. Bedaine en avant dans son costume mal taillé, sa chemise blanche ornée de ses éternelles bretelles rouges. Il le regarde de ses grands yeux tristes.

« Tu vas pas faire ta pleureuse, Louis. On ne va pas en vouloir à l'amicale de ne pas avoir vendu assez d'écussons.

– T'as raison, et de toute façon, ce soir, tout a un goût dégueulasse.

– T'as pas l'impression d'en faire des caisses ?

– Un peu… Mais on ne part qu'une fois.

– C'est vrai. On n'a pas deux fois l'occasion de faire une dernière impression. »

Les deux flics regardent du coin de l'œil le pâté en croûte qui trône sur la table, éternel rescapé des pots de départ. Ils revoient les nuits qu'ils ont passées à écumer la capitale à bord de leur voiture de fonction, quand Paris défile comme un film que l'on connaît par cœur, mais dont on espère à chaque fois que la fin sera différente. Et puis, non. Une fille qui fait un coma dans un caniveau, deux pochtrons qui se tapent sur la courge à l'ombre d'une ruelle malodorante, parfois un flingage… Les nuits se ressemblent toutes, ils ne s'en sont pourtant jamais lassés.

Il est minuit, le buffet est vide, les cadavres de bouteilles s'empilent sur les tables. Tout le monde est parti, ou presque. Il ne reste que les copains, les vrais. Ceux sur l'épaule de qui on a le droit de s'effondrer de temps en temps. Ce sont les dernières minutes de Philippe dans le service. Il est hors de question pour ses amis de le laisser partir sans un dernier tour de piste.

C'est comme ça que cinq vieux flics se retrouvent entassés dans une Ford Focus hors d'âge, en route vers le centre de Paris, leur terrain de chasse. Sortie du bâtiment, la voiture banalisée slalome entre les engins de chantier jusqu'à la porte de Clichy. Sur les Maréchaux, la clarté blafarde des lampadaires se mêle aux néons criards des kebabs et des chichas. Changement de décor. Dans le quartier de l'Opéra, les bâtiments brillent de mille feux, l'éclairage public est flamboyant, et les vitrines des grands magasins caressent l'iris de Philippe de leurs lumières subtiles. Il pense à la magie du Paris nocturne qui permet, en une minute de voiture, de passer des toxicos de la place de Clichy aux couples BCBG qui se baladent autour des Grands Boulevards.

À trois heures du matin, Philippe et ses collègues se séparent, après avoir fait la tournée des grands-ducs, en quelques accolades viriles sur un trottoir. Louis se retient de pleurer à son tour et s'en va en dernier, adressant à peine un regard à son coéquipier.

Seul face à une vitrine de magasin, Philippe regarde son reflet : son mètre quatre-vingt-treize, sa silhouette longiligne, ses cheveux grisonnants, mi-longs, et sa barbe poivre et sel. Dans son costume gris, il ressemble à un acteur des années cinquante. Il continue sa route sans trop savoir où il va. Il sait pourtant qu'il lui reste une personne à voir, un dernier adieu à faire. Direction le Boudoir, le club échangiste le plus sélect de la capitale.

Après avoir arpenté les ruelles du quartier Sainte-Anne, il arrive à l'angle de la rue Vivienne. Devant une façade vide de toute inscription, une file d'attente s'étire sur une vingtaine de mètres. Des couples, de tous âges, attendent timidement de passer devant le physio. Il surprend la conversation d'un quinquagénaire bedonnant et d'une jeune fille aux yeux tristes. Le vieux gentleman tente de négocier ce qui semble être, pour lui, le prix d'une soirée réussie. Philippe reconnaît Cynthia. Il ne lui adresse pas un regard. Le monde de la nuit, c'est fini. Il ne remettra sûrement plus les pieds ici. À son arrivée, le videur lui serre la main, puis lui ouvre la porte sans poser la moindre question, ce qui n'a pas échappé au micheton qui se fend d'une remarque déplacée. Lui ne rentrera pas ce soir. La belle escort sera payée au même tarif et le raccompagnera à son hôtel pour le dernier acte de la triste mascarade qui se joue trop souvent entre une fille paumée et un préretraité libidineux.

Une fois dans le club, Philippe se dirige doucement vers le bar. La musique électro-pop résonne bien moins fort que dans les autres boîtes parisiennes. La décoration noire et épurée se passe de commentaires. Derrière le comptoir, Max, son ami de dix ans, grand et toujours tiré à quatre épingles, crâne chauve et carrure de sportif.

« Alors, la police, on cherche les réponses dans son whisky ? Tu ne penses pas que c'est un peu cliché ?

– Désolé, Max, mais je suis pas d'humeur à ce qu'on me taille un costard, là...

– T'as des emmerdes ?

– Pas vraiment, mais je fais ma tournée d'adieux...

– Comment ça ?

– Je quitte le service, je suis muté à la Crim' lundi matin.

– À la Crim' ? Mais t'adores la nuit, tu me l'as toujours dit...

– Je sais, mais disons que je fais ça pour Élodie...

– Je vois... Et elle est contente ?

– Ça aidera.

– À quoi ?

– Je vais lui dire, Max.

– T'es sûr ?

– Elle a le droit de savoir. Ça fait des années que je lui mens.

– Je suppose que c'est pour ça que t'es pas chez toi.

– Entre autres... Je voulais aussi te dire au revoir.

– Arrête de te foutre de ma gueule. Bon, attends la fermeture, et tu dormiras dans un des lits...

– Non merci, faut que je rentre. Ressers-m'en un autre et j'y vais.

– Comme tu veux.

– Faut que je m'habitue.

– On se prendra un verre à l'occase.

Valmy vide son verre de whisky et son visage se fend d'un sourire triste.

– Max, tu sais très bien que ça n'arrivera jamais.

– Je sais... Adieu, poulet.

– Et arrête avec tes phrases à la Audiard. T'as trente-cinq ans, merde. »

Philippe sort du bar et se met en route jusqu'à chez lui. En remontant les Grands

Boulevards, il jette un regard amusé sur la foule des noctambules. Un type dort sur un scooter pendant qu'une bande d'Anglais en maillot de rugby chantent, sans trop avoir l'oreille musicale, une chanson paillarde. Au détour d'une rue, un couple d'amoureux en pleine dispute lui rappelle qu'Élodie dort au fond de leur lit. Il presse le pas. Lui dire, vite, et, surtout, trouver du réconfort entre ses bras.

À la porte de son immeuble, il se trompe trois ou quatre fois de code. Il comprend que les quelques verres de la soirée ont eu leur petit effet. Sur son palier, son ventre se serre. Il va devoir tout lui avouer.

*H – 4 h 05*
*avant la découverte du corps,*
*le 5 novembre 2018 – 23 h 55*

Des spasmes secouent son corps, la chambre d'hôtel est maculée de sang. Je ne sais plus comment ni pourquoi. Je suis seul face à sa souffrance. La panique laisse peu à peu place à un sentiment étrange, diffus. Une fascination mêlée d'excitation. Je regarde mourir cette fille, doucement. La plaie béante qui s'étend d'un bout à l'autre de sa gorge lui dessine un étrange sourire. Abréger ses souffrances. Je dois l'achever. Maintenant. Une force me retient d'agir. Je souris. J'ai enfin fait ressortir ce poids qui me comprimait la poitrine depuis tant d'années. Je regarde mon reflet dans le miroir de la chambre et me vois différemment. Mes yeux pétillent, je ne tremble plus. Elle agonise, à un mètre de moi. Je suis dans une transe étrange.

Un enchaînement d'emmerdes. Voilà ce qui m'a amené ici, dans cette chambre de palace. C'est la loi de Murphy qui a fait ressortir le pire de moi-même. Un dernier tressaillement. La vie a quitté son corps. C'est le moment. Je m'approche d'elle, de cette enveloppe charnelle fraîchement dépourvue d'âme. Une flaque de sang l'entoure. Je m'apprête à la toucher. Merde, mes mains… À une seconde près, je me mettais en danger. Ne pas laisser d'ADN, d'empreintes… Je sors une paire de gants en latex de mon sac. Heureusement, j'avais tout prévu. Dans mon métier, il faut toujours tout prévoir. Je la fixe, encore. Ses yeux sans vie sont grand ouverts. Elle est belle. Une boule de feu s'élève de mes entrailles, je me sens bien. Mon couteau dans la main droite, je commence. Je me sens puissant, comme jamais je ne l'ai été. Tous les avantages en nature que j'ai pu connaître, tous les passe-droits ne sont rien. Le vrai pouvoir est là, entre mes mains.

## Chapitre 2

*Le 6 novembre 2018 – 3 h 40*

Philippe Valmy ne trouve pas le sommeil. Les yeux grand ouverts, il regarde dormir Élodie. Elle respire lentement sous les draps, leur donnant un mouvement qui l'apaise. Une mer calme au milieu de la tempête de sa vie. Il lui caresse l'épaule de la pulpe des doigts. Sur le visage de sa femme, un demi-sourire se dessine. Comment peut-il lui faire ça ? La sonnerie du téléphone retentit dans la chambre.

« Allô ?

– Bonsoir, c'est l'état-major PJ.

– Je suppose que tu ne m'appelles pas pour les croissants… »

Philippe se lève de son lit, enfile son costume et regarde par la fenêtre de sa chambre. Son réveil indique 3 h 40 du matin, Paris dort encore. Le froid de l'hiver naissant donne au ciel un voile gris qui tombe sur la rue, brouillant la lumière des lampadaires. On s'attendrait presque à voir surgir de ce halo un cavalier sans tête. Le bruit des draps qui se froissent tire Philippe de ses rêveries. Élodie le regarde, les yeux ensommeillés.

« Qu'est-ce qu'il se passe ?

– Mon premier homicide, il faut que j'y aille.

– Tu dois être impatient.

– Plutôt, oui. Mon groupe m'attend au tournant, j'ai intérêt à poser les bases tout de suite, sinon je vais me faire bouffer. J'y vais, mon amour, rendors-toi. »

Il prend son arme dans le tiroir de la table de chevet, chambre une cartouche et se dirige vers sa voiture. La portière claque, TSF Jazz s'allume en fond sonore… Philippe met le contact, mais ne se résout pas encore à démarrer le moteur. Vingt ans qu'il n'a pas vu un cadavre. Les bras crispés sur le volant, il rassemble le peu d'éléments qu'il a : une mort violente, le corps de la victime a été découvert au bord du canal, derrière la porte de la Villette. Il tente de visualiser la scène de crime, mais les images du dernier macchabée auquel il a fait face viennent balayer le tableau.

C'était la finale de la Coupe du monde 98. L'ambiance était à son comble dans les locaux de la 1$^{re}$ DPJ*. Philippe, un verre de bière à la main, riait en compagnie de ses collègues de permanence. Puis, la sonnerie du téléphone. Stridente et désespérément administrative. Un meurtre dans le VIII$^e$ arrondissement. L'auteur était encore sur place. L'état-major ne lui avait pas donné énormément de précisions, si ce n'est que la victime était un enfant en bas âge. Arrivé dans un immeuble cossu, il était monté dans une chambre de bonne. Dans le couloir, des hurlements semblaient venir des profondeurs de la terre. Les policiers en tenue tentaient de maîtriser une trentenaire hystérique pour que le médecin du Samu puisse lui administrer un calmant. Philippe, qui n'aimait pas le football, s'était déplacé seul pour ne pas gâcher la fête de son binôme de permanence. En entrant dans la chambre minuscule, il avait vu le corps d'un petit garçon de huit ans lardé de coups de couteau, étendu sur un matelas souillé de giclées de sang qui montaient jusqu'au plafond. Il avait ensuite appris que la mère, souffrant de troubles psychotiques, avait expliqué vouloir libérer son

----

* Division (aujourd'hui district) de police judiciaire, service territorial dépendant à l'époque du 36, quai des Orfèvres.

fils du démon qui le possédait. Le Parquet avait demandé un examen psychiatrique en urgence, elle avait fini par être déclarée irresponsable. Pendant ce temps, les Français portaient aux nues leurs nouveaux héros, à mille lieues d'imaginer que, juste à côté d'eux, les vies d'un flic, d'une mère et d'un petit garçon partaient en lambeaux. C'était la dernière permanence de Philippe avant sa mutation dans le groupe des cabarets.

Ce sentiment de gâchis, cette brusque plongée dans la réalité alors que les autres sont à la fête, peu de gens les connaissent vraiment. Policiers, pompiers, médecins… Ils sont, chacun à leur façon, le dernier rempart face à l'horreur. Les piliers de notre société, qui ont le triste privilège de voir leur réveillon de Noël gâché par un suicide, de fêter le Nouvel An autour de la carcasse d'une voiture sur l'autoroute ou, comme Philippe, de célébrer la Coupe du monde dans le décor morbide d'un infanticide.

Son téléphone le tire de ses pensées, un appel de son adjoint. Il choisit de ne pas répondre et démarre en trombe. Le halo bleu de son gyrophare éclaire la rue alors que sa voiture file au son de Miles Davis.

À quatre heures du matin, Paris est désert. C'est le moment qu'il préfère. Celui où la capitale, immense, semble lui appartenir. Après quelques minutes, la voiture arrive dans le quartier Rosa-Parks, où les immeubles de verre côtoient la pierre crasse du garage central de la préfecture de Police dans un chaos architectural dont Paris a la spécialité. À quelques encablures, derrière le cinéma, des lumières bleues scintillent à l'unisson, des dizaines de radios grésillent et une petite armée d'hommes en combinaison blanche s'active sous des projecteurs surpuissants. Philippe se gare derrière une camionnette de l'Identité judiciaire. Il prend sa mallette sur la plage arrière et enfile immédiatement la combi et les surchaussures, qui lui donnent un vague air de cosmonaute. Il prend une grande inspiration et passe en dessous des rubalises blanc et rouge qui entourent la scène.

À peine redressé, il voit son adjoint marcher vers lui d'un pas pressé. Antoine est petit et un peu enrobé. Il a trente-cinq ans, mais sa démarche et son visage poupin lui en font paraître dix de moins. Habillé d'un costume gris très strict, il ressemble à s'y méprendre à un haut fonctionnaire.

« Salut Philippe. Dis donc, tu as mis le temps...

– Je suis arrivé le plus vite possible, Antoine. Tu m'affranchis s'il te plaît ?

– On a une jeune femme, entre vingt et vingt-cinq ans a priori, égorgée et laissée à poil sans rien à côté d'elle. Pas de traces de coups, l'IJ* est en train de faire des prélèvements pour voir si on trouve quelque chose. Pas de témoins, évidemment, elle a été trouvée là, dans le buisson, par un couple qui se baladait. Celui qui lui a fait ça l'a tailladée au niveau du bas-ventre. Un vrai crime de sadique.

– OK, des autorités sur place ou tu es tout seul ?

– Pour l'instant, je suis tout seul, mais j'ai déjà appelé le patron pour lui faire un topo.

– Pardon ? Tu l'as appelé ? Tu connais le principe de la voie hiérarchique ?

– Écoute, j'ai eu la tête du groupe en intérim pendant un an, donc je connais le boulot.

– Rien à foutre, Antoine. Tu m'as court-circuité, on en parlera au service. Les autres sont là ?

– Aline et Julien sont en pleine enquête de voisinage, Jean est déjà en train de faire les constatations, et Hakim est en route. Tu veux voir le corps ? »

---

* Identité judiciaire : service de police technique et scientifique de la Direction régionale de la police judiciaire.

Sans répondre, Philippe s'approche de la scène et salue Jean, son procédurier, l'un des plus anciens du service avec vingt-cinq ans au compteur. Les deux hommes se respectent et commencent même à s'apprécier. Proche de la retraite, Jean n'en est pas moins féru de nouvelles technologies. Il « bécane* » à la vitesse de la lumière et a même mis au point un système pour que ses constatations soient retranscrites lorsqu'il les dicte sur son smartphone en articulant de manière exagérée. S'il est au fait des dernières innovations technologiques, Jean semble cependant avoir loupé quelques dizaines de fashion weeks. En dehors des semaines de permanence, pendant lesquelles le costume-cravate est obligatoire à la brigade criminelle, il n'a pas changé sa garde-robe depuis ses débuts, à la fin des années soixante-dix. Perfecto, chemises pastel et jeans pattes d'eph', cheveux grisonnants en bataille et barbe fournie. Au 36, le style du major est devenu légendaire. Il y a quelques années, il a même été le thème d'une soirée costumée organisée après le traditionnel banquet de la Crim'. Philippe lui adresse un sourire gêné et une poignée de main ferme.

---

\* « Bécaner » (argot policier) : taper à l'ordinateur.

« Salut Jean, tu vas bien ?

– Salut Philippe. Prêt pour ta première affaire ?

– C'est gore ?

– Plutôt, oui… Ça fait des années que j'ai pas vu ça.

– Il fallait que ça me tombe dessus…

– T'es un chat noir, mon pote. Ça fait dix ans que le groupe ne prend plus que des dossiers de règlements de compte. Du style Momo pue-des-pieds qui dézingue Gérard grandes-oreilles pour une histoire de boulette de shit. Et, un mois après ton arrivée, on se ramasse un homicide bien glauque… Welcome.

– T'en es où des constat' ?

– Ben, regarde autour de toi, on est au bord du bassin d'Aubervilliers. Il n'y a rien d'autre que ce putain de cinoche. Aline et Julien sont partis voir les squatters du square Claude-Bernard, mais, à mon avis, personne n'aura rien vu, rien entendu.

– Il y a l'Agence régionale de santé juste derrière, on va aller voir s'ils ont des caméras.

– C'est prévu, les réquises sont déjà prêtes à être déposées. On en a préparé une pour l'UGC aussi. Ils ont installé des caméras depuis qu'ils se sont aperçus que des petits cons venaient se faire une toile en entrant par-derrière...

– C'est un début, non ?

– C'est maigre... Mais c'est un début.

– Bon, allez, on va voir le macchabée. »

# Chapitre 3

*Le 6 novembre 2018 – 4 h 30*

Quand Philippe s'enfonce dans les bosquets, un flot d'adrénaline se répand dans tout son être. Il ne fonctionne plus que par automatismes et repense à ses formateurs de Cannes- Écluse\*. Derrière une branche, il aperçoit d'abord les deux chevilles, fines. Puis les jambes, longues, ciselées, qui remontent jusqu'à un buste fin sur le dos duquel repose une chevelure auburn. Le cadavre est sur le flanc. La jeune femme est allongée sur l'herbe sans traces de sang autour d'elle. Valmy ne pense à rien, son cerveau fait le tri automatiquement. Les réflexes sont encore présents. Il prend la parole.

« Jean, t'es d'accord avec moi, elle n'a pas été tuée ici.

– Plus que probable, il n'y a aucune trace de sang sur l'herbe. Elle a été transportée.

---

\* Cannes-Écluse : ville de Seine-et-Marne où est implantée l'École nationale supérieure des officiers de police.

– Alors il va falloir qu'on m'explique comment une ordure a pu trimballer un cadavre jusqu'ici sans se faire détroncher. Vous l'avez déjà retournée ?

– Non, Antoine a voulu le faire, je lui ai dit qu'on t'attendait.

– T'as bien fait. »

Philippe s'adresse au photographe de l'IJ.

« Vous avez fini avec les photos et les prélèvements ? On peut la déplacer ?

– C'est bon, commandant.

– OK, on y va. »

Naturellement, Philippe prend le contrôle des opérations. Il traverse rapidement les bosquets et revient avec un gardien de la paix stagiaire. Il fait signe à Jean de venir les aider. Voyant que le petit bleu se tient en retrait, Philippe le regarde, inquiet :

« Ça va, gamin ?

– Moyen, commandant, c'est mon premier macchabée… Je ne sais pas trop si je vais y arriver. Vous préférez pas demander à mon chef de bord ? J'ai pas envie de faire de connerie…

– Non, tu vas rester, et tu vas apprendre. Il faut bien commencer quelque part. Tu n'as qu'à le retourner et éviter de lui gerber dessus. Et t'inquiète, si tu fais une connerie, tu te feras engueuler par le vieux barbu.

C'est impressionnant au début, mais vers la fin on s'habitue. Allez, zou ! »

Philippe se tient au niveau des jambes, Jean au niveau de la tête et leur jeune collègue a pris place autour des hanches de la victime. Sous les regards des techniciens de l'Identité judiciaire, ils entreprennent de mettre le corps sur le dos. Valmy mène la manœuvre.

« On y va à trois. Un, deux, trois… »

Le cadavre est maintenant sur le dos. Philippe observe plus précisément ce qu'il devinait. Ne pas regarder le visage, pas tout de suite. Être le plus professionnel possible. Son bas-ventre est marqué de nombreuses coupures laissant penser à des scarifications rituelles, elle n'a aucune trace de coups sur le corps. Sur ses poignets, des marques de contention, caractéristiques d'une paire de menottes. À la gorge, une plaie béante, juste au-dessus de la cage thoracique. Un filet de sang a coulé sur le côté gauche. En posant les yeux sur le visage de la victime, Philippe sent ses jambes défaillir. Sans plus d'explications, il s'éloigne du corps et fait les cent pas sans la regarder, entrecoupant ses mouvements de longues respirations. Le jeune gardien de la paix et les techniciens de l'IJ ne savent plus où se mettre. Seul Jean se rapproche et lui pose une main sur l'épaule.

« Qu'est-ce qui t'arrive, là ?

– …

– Oh, Philippe !

– C'est pas possible.

– Quoi, bordel ?

– La victime. C'est Cynthia. C'était mon indic… »

*H – 1 heure 45 minutes*
*avant la découverte du corps,*
*le 6 novembre 2018, 2 h 15*

Je roule doucement dans Paris. Insoup-
çonnable. Comme un brave type qui rentre
chez lui à trois heures du matin. Je ne
grille pas les feux, ne dépasse surtout pas
les cinquante kilomètres/heure. Priorité à
droite. « Allez-y, cher monsieur. » Je croise
une patrouille de police. Coup de chaud.
Je regarde devant moi. Ne pas attirer leurs
regards. S'ils savaient ce que j'ai dans
mon coffre. Intérieurement, je ris. Puis,
j'imagine un contrôle. Avec leurs conneries d'alerte attentat, ils me feront ouvrir
mon coffre. Une seconde de flottement,
puis trois flics qui me braquent : « AU
SOL !! BOUGE PAS !!! » Puis, les assises,
la réclusion criminelle. Vu ce que j'ai fait
à Cynthia, ça ne pourra pas passer pour un
accident. Je sens monter la panique. J'ai
envie d'accélérer, de l'emmener au plus
vite sur les bords du canal, là où même les

zonards ne zonent pas. Je ne dois pas céder à mes instincts, je l'ai déjà assez fait ce soir. Au moins, j'ai obtenu ma vengeance. Je n'ai jamais aimé les filles de joie. J'aime encore moins le mot « pute ». Au fond de moi, je sais que je l'ai délivrée. Elle s'était enfermée dans cette vie pourrie, au point de passer tous leurs caprices à ces vieux dégueulasses, rien que pour leur pognon. Mais je t'ai sortie de là, Cynthia. C'est fini, maintenant. Pour toujours.

Finalement, j'ai fait une bonne action. Je l'ai aidée. Si j'avais su que j'en étais capable... Quel ramassis de foutaises. Comme si j'avais été altruiste. C'est tout moi, ça... Me chercher des excuses, à tout prix. Quand ils me choperont, je demanderai à mon baveux de plaider la mauvaise foi. Parce qu'ils m'auront, je le sais. Je suis sur une pente glissante, c'est inévitable. Je commettrai une erreur, grossière. Alors finalement, pourquoi ne pas les emmener doucement jusqu'à moi ? Mais pas cette fois-ci. J'ai bien tout vérifié. Cynthia n'a jamais été arrêtée par la police. Elle n'a pas de tatouage, personne ne la reconnaîtra tout de suite, ça me laisse le temps d'aller faire le ménage dans la chambre d'hôtel et de brûler ses affaires... Merde, le feu rouge ! Voilà ce qui arrive, quand on se laisse absorber par ses pensées. Dans mon rétro, je vois s'allumer un gyrophare bleu. Respirer. Garder son calme, et arrêter de transpirer. Mes mains tremblent, mon souffle s'accélère et devient plus fort. Je monte le son de la radio. Sorti de la voiture, un flic avance vers moi. Dans le rétroviseur, la lueur blafarde d'une lampe torche. Je ne distingue qu'une silhouette qui s'approche. Sur le côté, son bras est plié, la main contre la hanche. Sur son flingue. La main gauche prête à agir, la droite prête à dégainer. Et les miennes, moites, sur le volant, un cadavre de prostituée dans mon coffre. Une situation qui fera les gros titres du *Parisien* demain matin. Je n'ai pas coupé le moteur, et ma voiture est automatique. Ils se sont garés derrière moi. Si je fonce, maintenant, j'ai une chance de m'arracher. Mon pied est sur l'accélérateur. Crispé. Je me prépare à appuyer. Ma plaque. Ils ont sûrement pris ma plaque, et ils ne mettront pas longtemps à remonter jusqu'à moi. Quand on découvrira le cadavre, ils chercheront ce qui s'est passé dans Paris cette nuit-là. Je me ferai avoir. Je dois me calmer. Je pense à la troisième *Gymnopédie* de Satie. Les notes de piano résonnent dans ma tête, elles m'apaisent. Le flic est à cinquante centimètres de ma fenêtre. Je lui ouvre. Il me regarde gentiment. Apparemment, je n'ai pas l'air suspect.

Quelques minutes plus tard, il me souhaite une bonne soirée et me laisse repartir avec le cadavre de Cynthia, sans même une amende. Alors que je le remerciais, il m'a dit : « J'ai un flair à toute épreuve, et de toute évidence, vous êtes de bonne foi. » Je souris. Si c'était un chien de chasse, je ne l'utiliserais même pas pour me dégotter un steak dans une boucherie. Arrivé porte d'Aubervilliers, un flot incessant de passants se déverse. Je ne sais pas ce qui se passe. Je panique. L'endroit devrait être désert, bordel ! Une place de stationnement. Je me gare et attends tranquillement que tout se calme.

J'avance, feux éteints, le long des pelouses. Je dépose le corps de Cynthia rapidement et récupère la bâche qui le recouvrait. Je progresse encore un peu le long du canal, remplis la bâche de pierres et la jette. Je la vois couler, lentement. Plus une seule trace. C'est terminé. Je ne risque plus rien. Ce n'est pas difficile de la faire à l'envers aux flics. Il suffit de savoir s'organiser...

# Chapitre 4

*Le 6 novembre 2018 – 6 h 00*

Il est six heures du matin lorsque Philippe arrive dans son bureau. Une ambiance électrique règne dans les couloirs du 36, rue du Bastion. Baies vitrées, ascenseurs ultra-modernes, murs pastel et climatisation dans chaque bureau, le nouveau siège de la police judiciaire parisienne n'a rien à voir avec le mythique 36, quai des Orfèvres. Le bâtiment de huit étages est collé au Palais de Justice, au cœur de la future cité judiciaire, en bordure du périphérique. Philippe observe la vue depuis la fenêtre de son bureau. En face de lui, les grues sont encore endormies et, six étages plus bas, les ouvriers prennent un café en plaisantant. Dans quelques minutes, ils se mettront à pied d'œuvre et apporteront un dernier lifting au nouveau visage de la justice. Philippe rêve en regardant le boulevard des Maréchaux étendre sous ses yeux ses kilomètres de goudron. Il se penche un peu pour contempler Montmartre, encore bercé par la lueur des réverbères. Ou des lampadaires. Quelle est la différence, d'ailleurs ? Il ne sait plus. Depuis quelques heures, il a perdu toutes ses certitudes.

Depuis cette nuit de la Coupe du monde, il s'était imaginé à nouveau confronté à la mort, il avait redouté cette ombre silencieuse qui l'avait suivi tout au long de sa carrière, et qu'il avait savamment réussi à éviter depuis. Il s'en était fait une idée ignoble, au point de ne plus en dormir certaines nuits. Cette fois-ci, elle a pris les traits de Cynthia.

Huit mois plus tôt, Élodie lui avait mis un ultimatum : elle voulait qu'ils élèvent un enfant, et pour cela, il devait s'éloigner des milieux interlopes avec lesquels flirter était devenu une habitude. Son ventre s'était alors noué. Combien de temps allait-il vivre un mensonge ? Lorsqu'un poste de chef de groupe s'était ouvert à la brigade criminelle, il avait postulé, aidé par un de ses anciens copains de promo, chef de section à la Crim'. À défaut de pouvoir offrir à Élodie ce dont elle rêvait, il se tiendrait loin de l'univers tentaculaire des nuits parisiennes, qui vous happent à coups d'avenues désertes bercées de lumière et de filles aux courbes graciles dont les âmes blessées se soignent au Ruinart. Peut-être qu'ainsi elle lui pardonnerait.

Cette nuit, il a compris que rien de tout cela ne lui permettra d'échapper à son mensonge. Sur les pelouses du quartier de Rosa-Parks, la vérité lui a sauté au visage, comme révélée par les puissants spots installés par l'Identité judiciaire. Ce cadavre ne lui a fait ni chaud ni froid. Le sang, les entailles, le regard vide de la morte n'ont réveillé aucun de ses démons. Non, ces derniers sont revenus de manière plus vile encore lui susurrer à l'oreille, lui rappeler de la pire des façons que l'on n'échappe pas comme ça aux griffes de la nuit.

Le bruit d'une machine à expresso dans le bureau voisin le tire de ses rêveries. Au moment où il lève les yeux vers l'embrasure de sa porte, la silhouette de Jean vient se poster en face de lui.

« Allez, chef, viens prendre un petit café.

– Tout le monde est rentré ?

– Ouais, le patron a même acheté des croissants.

– Tu leur as dit pour la victime ?

– Non, c'est à toi de le faire, je vais pas te piquer ta place. Et puis ça évitera à ton adjoint de te tirer dans les pattes en ton absence.

– OK, merci de me protéger du vilain petit caniche.

– C'est pas un mauvais mec, juste un type à qui personne n'a jamais rien refusé.

– Mouais, tu ne m'ôteras pas de l'idée que c'est un sacré serpent. Il va tout faire pour que je passe pour un branque.

– En même temps, Philippe, c'est pas compliqué. Tu as été bazardé chef de groupe chez nous parce que le taulier te voulait toi et pas un autre. T'es un mec sympa, mais t'as pas d'expérience en tant qu'enquêteur criminel. Même si t'es chef, tu as tout à apprendre. Ici, on est très attachés aux traditions, et toi, tu n'es pas arrivé par la voie traditionnelle. Alors, garde en tête tes cours de management, mais n'oublie pas qu'Antoine connaît le job.

– Mouais, allez, on va se prendre un café…

– Eh ben voilà, commandant ! »

Philippe arrive dans l'*open space* dans lequel travaillent Aline, Hakim et Julien. Les trois jeunes enquêteurs y ont aménagé un véritable espace de convivialité. L'un des bureaux, vide, s'est transformé en comptoir avec machines à café, sucre et, quand un membre du groupe fait une erreur, un gâteau plus ou moins bien réussi. Tout le monde est déjà à pied d'œuvre. Le grand tableau blanc est vierge et n'attend plus que Philippe pour se voir noirci des quelques indices déjà récoltés. Il arrive le dernier dans le bureau et, pendant une seconde, s'arrête net devant ses effectifs qui n'attendent plus que lui.

Le groupe qu'il dirige est, comme chaque groupe de la Crim', unique. Ce sont cinq hommes et une femme aux personnalités diverses qui, cumulées, forment une entité dont l'équilibre est bouleversé à chaque arrivée ou chaque départ. Ils ne sont pas seulement des collègues de travail, mais pas tout à fait des amis. Une relation hybride qui leur permet de passer huit heures dans une voiture de planque sans s'écharper, mais pas de partir en vacances au Touquet comme de vieux copains. Le seul membre du groupe qui ne lève pas les yeux, c'est Hakim, absorbé par son écran. À quarante ans, il est encore bien trop maigre pour son costume-cravate. Ses lunettes rafistolées sur le bout du nez, il s'adonne à sa grande passion : extraire du logiciel Mercure* toutes les informations des bornes de téléphonie situées autour des lieux du crime.

Philippe lui lance un regard bienveillant, puis se tourne vers Antoine, qui se tient en

* Mercure : logiciel d'exploitation de la téléphonie

retrait, droit comme un I à côté de la porte. La froideur et la distance qu'il a héritées de son éducation religieuse ne lui ont jamais permis de se sentir en phase avec l'esprit potache et bon enfant qui règne dans la police. De l'école d'officiers, il n'a gardé aucun ami, ni même aucune connaissance. Lors d'une enquête, il y a un an, il a croisé au commissariat du XVIII<sup>e</sup> arrondissement l'un de ses camarades de promo. C'était sa première affaire en tant que chef de groupe par intérim. Il était perdu et avait un trac fou. Alors, ce visage connu lui est apparu comme un phare dans la nuit. Il lui a donné un soulagement plus intense qu'il n'aurait dû l'être. Antoine s'est approché, souriant, la main tendue. « Alors, vieille branche, toujours dans le XVIII ? » L'autre ne l'a pas reconnu. Devant Julien et Aline, ses subalternes, il a perdu la face. Parce que s'il n'a pas le sens de la camaraderie et la bonhomie de certains de ses collègues, Antoine a celui de la hiérarchie. Il déteste cette coutume propre à la PJ qui oblige les gardiens de la paix et les officiers à se tutoyer. Pour lui, les deux mondes ne se mélangent pas. Ils n'ont pas passé le même concours. D'ailleurs, il trouve inadmissible que le reste de son groupe ne l'invite jamais à boire un verre avec eux après le service.

Ne devraient-ils pas être honorés d'avoir à leur table un capitaine ?

Philippe décide de brosser son adjoint dans le sens du poil.

« Antoine, c'est mon premier briefing, tu peux le mener avec moi s'il te plaît ? Il faut bien que j'apprenne. »

Les yeux d'Antoine s'illuminent, et Jean sourit dans sa barbe. L'approche de Philippe semble avoir marché. Son adjoint, flatté, opine du chef.

« Mais avant de te passer le relais, j'ai quelque chose à vous dire. Je voulais attendre que l'on soit tous ensemble pour ne pas avoir à me répéter. Je vous épargne le suspense insoutenable, je connais l'identité de la victime. Elle s'appelait Cynthia, une escort-girl qui travaillait par Internet. Je l'ai croisée plusieurs fois quand j'étais aux Cabarets. Évidemment, je n'ai pas son état civil, vous imaginez bien qu'elle n'a jamais vraiment voulu me montrer ses fafs. Tout ce que je sais, c'est qu'elle était étudiante en lettres, je ne sais pas où, et je ne sais pas en quelle année. Partant de ça, je pense que ce soir je vais aller secouer mes indics histoire de voir ce que ça donne. Antoine, tu suggères quoi ? »

L'adjoint vient se placer debout à côté de son chef.

« Pas idiot. Donc, en résumé, on a une jeune fille retrouvée morte sans fringues ni papiers dans une zone relativement déserte. Julien, les caméras, ça a donné quoi ?

– J'ai fait les réquisitions pour l'Agence régionale de santé, je passe récupérer leurs images à neuf heures. Ils ont bien une caméra qui donne sur l'endroit où a été découvert le corps, mais le système infra-rouge déconne, apparemment. Donc on ne devrait malheureusement pas avoir un super résultat. Pour l'UGC, il faut que j'y passe ce matin, à quatre heures du mat', il n'y avait personne.

– OK, tous ceux qui ont vu le macchab s'accordent à dire qu'elle n'a pas été tuée sur place. Comme je vois mal le suspect se promener en Noctilien, on cherche un véhicule sur les images. Si on n'a rien, on élargira aux caméras sur les boulevards, puis au périph. En espérant qu'on n'en arrive pas là. Aline, niveau voisinage ? N'aurait-on pas un insomniaque dans les immeubles en face qui aurait vu quelque chose ?

– C'est principalement des bureaux, donc vraiment pas grand-chose. J'ai réveillé des quidams qui dormaient profondément, et je suis tombée sur une vieille dame qui était bien trop occupée par son poste de télé pour regarder par la fenêtre. En gros, chou blanc.

– OK, Hakim, je te vois à fond sur les bornes de téléphone, donc, pour l'instant, je suppose que ça ne mord pas trop...

– Tu supposes bien, je suis dessus. Dès que j'ai quelque chose, je vous dis.

– Super. Jean, tes impressions ?

– Un vrai crime d'enfoiré. On s'est acharné sur la gamine. De ce que j'ai pu voir, les entailles sont assez profondes. Il faut attendre les conclusions du légiste, qui a promis de faire l'autopsie dans la matinée. Je vais m'y coller si t'es d'accord, Philippe. »

Valmy reprend la parole.

« Pas de problème. Antoine, je te remercie d'avoir mené le brief. Vous savez ce qu'il vous reste à faire. Jean, tu te colles aux constats. Hakim, tu continues de faire la téléphonie. Aline et Julien, vous irez chercher les images à neuf heures, en attendant, je vous laisse rédiger la saisine et les réquisitions aux opérateurs. Antoine, tu viens avec moi chez le patron pour qu'on lui rende compte. Tu vas continuer à me tenir la main un petit peu si ça ne te dérange pas. »

# Chapitre 5

À peine ont-ils fait trois pas dans le couloir que Gilles Brizard, leur chef de section, les arrête.

« Changement de programme. On va faire le briefing chez le grand patron. »

Dans le bureau du chef de service, de nombreux dossiers sont empilés sur une vieille console en chêne verni, les murs sont recouverts d'écussons de police de toutes origines. Une casquette ornée de feuilles de chêne et un sabre trônent sur un énorme coffre-fort ultramoderne flambant neuf. L'ancien, que la légende attribue à Maigret, n'a pas pris ses quartiers rue du Bastion. Trop lourd pour être déménagé, il est encore dans le bureau 315 du 36, quai des Orfèvres, si cher à Georges Simenon.

Le commissaire divisionnaire Graziani, patron de la Crim', est un homme discret, fluet, qui ne hausse jamais le ton, et dont les pas feutrés ne s'entendent pas, ou alors trop tard, lorsqu'il se tient derrière vous pendant que vous l'imitez à la fin d'un pot de départ. Rusé et diplomate, il est entièrement dévoué à son métier, sans pour autant être carriériste. S'il n'hésite pas à souffler dans les bronches de ses chefs de groupe, il est le premier à les défendre bec et ongles face à la direction. Même s'il ne rit qu'à ses propres bons mots, il n'est pas dénué d'humour et fait preuve d'une rhétorique à toute épreuve qui lui a toujours permis d'obtenir ce qu'il voulait et de faire entendre ses idées, qui sortent parfois des sentiers battus. Il lève les yeux vers Philippe.

« Bonjour, Valmy. Bienvenue chez nous. Première nouvelle, la presse a été prévenue par on ne sait qui, et on s'en fiche éperdument. Le problème, c'est que, maintenant, c'est le branle-bas de combat. Le Parquet m'appelle toutes les cinq minutes, le directeur m'envoie des textos, le préfet est déjà au courant... Je peux donc faire une croix sur mon cinquième café, ce qui a le don de m'agacer. En plus, votre histoire, elle pue. Une gamine d'à peine vingt ans égorgée en plein Paris, ça va secouer l'opinion. Vous avez quoi jusqu'ici ? »

Dans un numéro de duettistes qui semble rodé depuis des années, les deux flics exposent les maigres indices à leur disposition. Philippe finit en apothéose en annonçant fièrement que la victime était un de ses contacts dans le milieu de la nuit parisienne. Le patron retire ses lunettes et se frotte les yeux, puis les plante dans ceux de son nouveau chef de groupe.

« Votre indic qui se fait zigouiller et vous qui êtes sur l'affaire, ça ne me satisfait que moyennement. Rassurez-moi, monsieur Valmy, vos relations avec elle n'étaient que professionnelles ?

– Uniquement, patron. Je la connais comme je connais toute la nuit parisienne après vingt-cinq ans aux Cabarets. Elle m'a filé un ou deux tuyaux, mais pas plus.

– Je vais donner le dossier au groupe Jouve. »

Philippe accuse le coup. Il est hors de question pour lui de ne pas sortir cette affaire*.

« Sauf votre respect, monsieur, je connais ce milieu mieux que personne. Si vous commencez à me retirer tous les dossiers qui ont un lien avec le milieu de la nuit, je pense que l'on ne bossera plus beaucoup. »

Graziani s'enfonce dans son fauteuil et regarde le commissaire Brizard, jusqu'ici silencieux.

« Tu en penses quoi, Gilles ? »

---

* « Sortir une affaire » (jargon policier) : résoudre une enquête.

Pendant quelques secondes, Brizard conserve son silence. Philippe le regarde, espérant qu'il prenne sa défense. Il sait que c'est son avis qui tranchera. Le chef de section s'éclaircit la gorge.

« Je pense que monsieur Valmy a raison. Si on refile l'affaire à un autre groupe, ils n'auront pas les sources de Philippe. Pardon, de monsieur Valmy. En plus, tu n'es pas sans savoir que j'ai fait mon école d'inspecteur avec lui. Je lui fais confiance. »

Graziani reste silencieux pendant des secondes qui paraissent une éternité, puis concède.

« OK, Valmy, je vous laisse le dossier pendant quarante-huit heures. Si vous n'avez rien d'ici là, Jouve prendra le relais. Vous tiendrez le commissaire Brizard au courant de toutes les avancées de l'enquête. Et je veux qu'il m'en informe en temps réel. S'il y a un problème, il faut pouvoir anticiper. Compris ?

– Oui, patron.

– Messieurs, vous pouvez disposer. »

Dans le couloir, Antoine arrête Philippe devant une machine à café.

« On s'en prend un pour se remettre de nos émotions ?

– OK, mais c'est toi qui payes. »

Antoine insère quelques pièces dans l'automate, qui émet un râle assourdissant.

« Classe, ce que tu as fait au briefing. Je n'ai pas été très facile, au début, non ?

– C'est le moins qu'on puisse dire. Je ne savais pas comment te sortir de mes pattes.

– Je ne veux pas te mettre des bâtons dans les roues, Philippe, j'ai juste dirigé ce groupe en intérim pendant un an, et je me suis éclaté. Alors voir débarquer un mec des Cabarets qui me pique le boulot, ça m'a un peu foutu les boules.

– Écoute, c'est comme ça, tu n'avais pas l'ancienneté requise. Tu l'auras bien un jour, alors patiente, dans six ans, je serai à la retraite. En attendant, je peux peut-être te faire profiter de ma petite expérience. Tu connais le monde de la nuit, un petit peu ? »

Antoine tripote nerveusement sa cravate.

« Ben, comme tout le monde, je sors de temps en temps.

– Alors, ce soir, on sort en tête-à-tête. On ira faire le tour de mes indics pour voir ce qu'ils savent de Cynthia. »

Antoine n'est pas dupe.

« Tu ne vas quand même pas me faire croire qu'un vieux loup comme toi va me présenter ses tontons* alors qu'on se connaît depuis un mois. »

Valmy est surpris. Son adjoint n'est peut-être finalement pas né de la dernière pluie.

« Je n'ai pas dit que tu les verrais tous...

– OK, alors on se met au turbin jusqu'au retour de Jean. Et quand il sera revenu de l'autopsie, on envoie tout le monde se coucher.

– Non, on est sur le flag**. On ne peut pas se permettre d'avoir des bureaux vides l'après-midi du meurtre. Tu les laisses bosser sur la vidéo, demain on leur filera leur matinée et nous, on synthétisera à l'écrit ce qu'on a entendu. Allez, on se bouge. »

---

\* Tonton (argot policier) : informateur.

\*\* Flag : terme technique désignant l'état de flagrance, cadre juridique limité dans le temps offrant aux enquêteurs une plus grande latitude d'action, notamment en termes de coercition.

# Chapitre 6

« Les tauliers me mettent la pression pour que le dossier soit sorti sans vagues. Je compte sur vous. Si vous avez des copains journalistes, vous ne répondez pas au téléphone jusqu'à ce que l'enfoiré qui a fait ça soit sous les verrous. C'est compris ? »

Tasse de café à la main, les membres du groupe hochent silencieusement la tête. Philippe reprend.

« Pour ce qui est de la suite des réjouissances : Hakim, je te laisse continuer sur Mercure ; Jean, à quelle heure tu vas à l'autopsie ?

– C'est à dix heures trente ce matin.

– OK. Pendant ce temps-là, Antoine et moi, on va aller traîner sur les bancs de la Sorbonne avec une photo de la victime, histoire de voir si quelqu'un la connaît. Aline et Julien, vous filez à la fac de Saint-Denis pour faire pareil. On va se faire toutes les universités d'Île-de-France. C'est chercher une aiguille dans une botte de foin, mais

59

il faut bien commencer quelque part. Des questions ? »

Sans demander leur reste, les membres du groupe se remettent au travail. Dans une ambiance studieuse, chacun, derrière son clavier, rédige les procès-verbaux ou remplit des fiches de scellés informatisées. Isolé dans son bureau, Jean s'attaque aux constatations. Dans les couloirs du Bastion règne une effervescence propre aux débuts d'affaires. Les policiers s'interpellent d'un bureau à l'autre, le bruit des imprimantes rivalise avec celui des machines à café, les chefs de service et de section sont pendus à leurs téléphones et font le relais avec la presse et le Parquet. Grisé par l'énergie qui circule dans les couloirs, Philippe se surprend à sourire. Il retrouve enfin l'ambiance de la PJ. Les années passent, les flics changent, mais il demeure une inébranlable cohésion face à l'horreur. Lorsqu'une vie est brutalement volée, une armée de femmes et d'hommes se met en mouvement, dans une chorégraphie parfaitement rodée. Chacun travaille maintenant pour la mémoire de Cynthia. Qu'elle soit escort-girl, ministre ou agent d'entretien, la victime devient l'unique centre d'intérêt des enquêteurs. Rendre justice à ses proches est un leitmotiv qui leur permet de dépasser la fatigue, de repousser plus loin les limites de leur corps et de leur esprit. On ne meurt jamais sans laisser personne dans la douleur. Il y a toujours une famille, un ami, un collègue de travail à qui il faut apporter des réponses. C'est pour ça que, quand frappe la mort, une poignée de flics manque de sommeil.

Il est dix heures trente quand Antoine et Philippe arrivent devant la Sorbonne Nouvelle, qui n'a rien à voir avec sa grande sœur, mondialement célèbre. Le bâtiment, assez récent, est déjà fortement dégradé, il en ressort une forme de fatigue propre aux universités dans lesquelles se massent des milliers d'étudiants, parfois passionnés, souvent désœuvrés. Les murs grisâtres sont couverts de banderoles et de graffitis. Antoine et Philippe montrent discrètement leurs cartes de police au vigile et se dirigent vers l'accueil. En traversant la cour principale, leur attention est attirée par un groupe de jeunes habillés dans le style années soixante-dix qui fument des cigarettes roulées. Leurs vestes en velours sont déformées par d'épais livres de poche. Philippe les regarde, amusé.

« T'as vu, Antoine ? Jean se fondrait à merveille dans le paysage.

– Il faudrait juste qu'il fasse un petit lifting... »

En haut d'escaliers raides comme la justice, ils arrivent à l'étage du département de lettres. Après s'être présentés à des secrétaires dont les bureaux débordent de dossiers, ils sont reçus par le professeur Schwartz, directeur de formation. Si l'on devait caricaturer un universitaire, il lui ressemblerait comme deux gouttes d'eau. De taille moyenne, l'homme a cette allure négligée des chercheurs qui, trop absorbés par l'intensité de leurs travaux, prennent rarement le temps de faire réparer leurs lunettes ou repriser leurs pantalons. Chacun de ses mots est si soigneusement pesé qu'il semble en permanence s'exprimer en alexandrins. Alors que Philippe s'apprête à engager la conversation, Schwartz lui coupe l'herbe sous le pied.

« Messieurs, que vient faire la police dans le repaire des vilains anarchistes ? Je vous préviens, il est hors de question que je donne mes étudiants en pâture aux renseignements généraux.

– Rassurez-vous, professeur, nous ne sommes pas venus pour ça. Et les RG n'existent plus depuis près de dix ans. Nous sommes de la brigade criminelle, nous enquêtons sur la mort d'une jeune fille qui pourrait avoir suivi des cours dans votre université, en lettres modernes.

– La brigade criminelle ? J'ai fait ma thèse sur Simenon, vous savez ! Je suis un peu déçu. C'est la première fois que je croise des policiers du 36, et vous ne ressemblez en rien au commissaire Maigret. »

Philippe esquisse un sourire.

« Monsieur le professeur, si nous portions tous des imperméables et des chapeaux melons, il nous serait difficile de nous fondre dans la foule. Je suis sincèrement navré que nous ne soyons pas de parfaits personnages de roman, mais l'affaire qui nous amène est, hélas, bien réelle. Connaissiez-vous cette jeune femme ? »

Philippe sort de sa sacoche une photo de Cynthia prise sur la scène de crime par l'identité judiciaire. Le portrait a été cadré de façon à ce que l'on ne voie pas sa cicatrice. Son visage est intact, ses yeux ouverts, mais, de façon totalement inexplicable, on sent que la vie a quitté son corps. Des iris sans âme, figés dans une expression d'effroi. Le professeur réajuste ses lunettes et prend une profonde inspiration en regardant l'image. Pour un homme qui consacre ses journées à la beauté des lettres, l'horreur est exceptionnelle, voire inconnue. Après une seconde d'égarement pendant laquelle les émotions semblent le submerger, il regagne une contenance.

« C'est horrible ! Je connais malheureusement cette étudiante. C'est Anaïs Salignac…

– Vous connaissez chacun de vos étudiants, monsieur ? interroge Antoine.

– Non, évidemment. Mais j'ai eu à m'occuper personnellement de mademoiselle Salignac il y a quelques mois. Je ne sais pas si vous êtes déjà au courant, messieurs, mais il lui arrivait de faire commerce de ses charmes. L'une de ses amies, Julie, est venue me voir pour me faire part de ses inquiétudes à son sujet.

– Et comment avez-vous réagi ? s'enquiert Philippe.

– Je l'ai d'abord convoquée dans mon bureau pour tenter de comprendre ce qui la poussait à faire une chose pareille, puis je l'ai accompagnée plus personnellement pour l'aider à se sortir de là. J'ai même fait en sorte que ses résultats soient, disons, harmonisés afin qu'elle obtienne sa licence. »

Antoine reprend naturellement la tête de l'audition. Sentant qu'il entre dans le vif du sujet, Philippe accepte de rester en retrait.

« Et elle venait encore en cours ?

– Depuis octobre, ses professeurs ne la voyaient plus. Je leur avais demandé de garder un œil sur elle.

– Vous leur aviez parlé du fait qu'elle se prostituait ?

– Jamais je n'aurais fait une chose pareille ! C'était le meilleur moyen pour qu'elle quitte définitivement l'université, et à partir de là, je n'aurais plus rien pu faire pour elle.

– Très bien, il faudrait que vous veniez nous voir au service afin que l'on mette tout cela par écrit, monsieur Schwartz.

– Ah ? Quand ça ?

– Le plus vite possible. Disons cet après-midi, à quatorze heures ?

– Très bien. Je suppose que je dois me rendre au 36, quai des Orfèvres ?

– Ah, non, monsieur. Toute la PJ a déménagé. Maintenant, nous sommes porte de Clichy, répond Philippe d'un air las. Je vous laisse ma carte de visite, l'adresse est dessus. Avant de partir, il me faudrait le dossier d'Anaïs, s'il vous plaît. Je suppose que vous avez le numéro de ses parents.

– Évidemment. Je vais demander aux secrétaires de vous en préparer une copie.

– Demandez-leur aussi les coordonnées de son amie Julie s'il vous plaît. »

Les informations en poche, les deux flics prennent congé du professeur Schwartz. Silencieux depuis la fin de leur entrevue avec l'universitaire, Antoine prend la parole sur la route du 36.

« Tu le sens comment, le professeur ?

– Je ne sais pas comment je le sens. Un peu pédant et désagréable, mais ça n'en fait pas une ordure pour autant... Dis au groupe qu'on se rejoint à midi et demi pour déjeuner et faire le point. Enfin, si Jean a de l'appétit après l'autopsie.

– Tu déconnes ? Je ne l'ai jamais vu sauter un repas.

– Je suppose que, quand tu te fades ça depuis vingt-cinq ans, tu t'habitues. »

## Chapitre 7

*Le 6 novembre 2018 – 12 h 30*

Les deux flics restent silencieux tout le long du chemin. La voiture avance le long des quais, dépassant Notre-Dame. Le ciel a cette couleur caractéristique des matins d'automne, et les arbres ont revêtu leur manteau de feu. La vie qui défile à travers les vitres de la 308 banalisée semble paisible. Quelques bouquinistes, assis sur des tabourets de camping, fument la pipe, l'œil rivé sur leur étalage de reliques et de trésors littéraires. Le jardin des Tuileries ne révèle jamais autant sa splendeur qu'en cette saison. Les feuilles mortes tombent sur les buissons vert foncé parfaitement taillés qui bordent les anciens jardins royaux, créant un mélange de couleurs digne des plus grands impressionnistes. Le paysage n'a pas cette beauté tape-à-l'œil du printemps. Celle-ci est lente et douce, mélancolique et faiblement illuminée par le soleil, qui tente encore quelques percées au travers des timides nuages de novembre.

Ce décor donne le blues à Philippe. Pris par l'enquête, il en a oublié, pour la première fois ce matin, le secret qui le hante. Élodie ne sait toujours pas. Leur désir d'enfant est devenu un combat de tous les jours, tellement évident qu'ils n'en parlent même plus. Le plaisir s'est peu à peu évanoui. Leurs rapports sexuels n'ont plus pour but que la procréation. Il faut « optimiser les coïts », d'après Élodie. On est loin des « j'ai envie de toi » prononcés Dieu sait où, qui ponctuaient les prémices de leur relation. Et tout ça, pour rien. Philippe sait que les positions jambes en l'air, le calendrier sur le réfrigérateur et les tests d'ovulation sont inutiles. Ce qu'il vit n'a aucun sens. Tôt ou tard, il devra l'admettre. Il va lui briser le cœur. S'il a le cuir tanné par sa vie sentimentale tumultueuse, ce n'est pas le cas de sa femme. Elle l'a rencontré à l'aube de ses trente ans, quand on est persuadé d'en avoir déjà beaucoup vu, mais que l'on croit encore aux contes de fées.

Un à un, les membres du groupe s'attablent chez Ginette & Bernard. Jean arrive le dernier. Philippe prend la parole.

« Bon, avec Antoine, on a eu une chance de cocus à me donner envie de mettre la DGSI au cul de ma femme pendant une semaine. On s'est pointés à la Sorbonne et on a obtenu l'identité de la victime. Anaïs Salignac, vingt-trois ans, en master de lettres modernes à Paris-III. Père et mère architectes d'intérieur à Enghien-les-Bains. Une de ses copines, Julie, a dit au directeur de l'UFR de lettres qu'Anaïs faisait le tapin. Depuis qu'il l'a appris, il a essayé de la sortir du trottoir. Antoine va le réentendre à quatorze heures dans nos bureaux pour avoir plus de précisions. Jean et moi, on va aller voir les parents. Aline, je vais te laisser entendre la petite Julie. Les caméras, ça a donné quoi ? »

Avant de prendre la parole, Julien lance un regard gentiment désapprobateur à Jean qui avale une bouchée de son tartare. Le jeune homme, végétarien devant l'Éternel, a toujours eu du mal à voir le procédurier de son groupe avaler de la viande crue. Depuis quelques années, leur amitié est inébranlable, même si le ripeur* est aux antipodes du major.

« Les caméras de l'UGC sont en panne et, comme je vous l'avais dit, celles de l'ARS ne sont pas exploitables. On n'y voit vraiment rien. On a voulu pousser plus loin, mais figurez-vous que nous, on a été frappés par la poisse. Hier soir, il y avait deux concerts dans le coin. Autant vous dire que ça a

---

* Dernier de groupe à la brigade criminelle.

drainé pas mal de monde, donc beaucoup de passage de bagnoles. En gros, impossible de cibler quoi que ce soit de particulier. »

Hakim intervient.

« Ah ! C'est aussi pour ça que je galère sur Mercure. Je me disais bien que les bornes environnantes avaient déclenché un nombre d'appels faramineux. »

Philippe reprend.

« Bon, on a le bec dans l'eau pour ce qui est des caméras. Niveau téléphonie, tu n'as pas bossé pour rien, Hakim. On a l'identité de la victime. Donc on va aller en perquise chez elle et essayer de trouver son ordi pour voir si un de ses contacts borne autour des lieux du crime. Jean, l'autopsie, ça a donné quoi ?

– Je recevrai le rapport dans l'après-midi, ou demain matin au plus tard. Mais, globalement, on avait raison. Elle n'a pas été tuée sur place, elle avait perdu bien plus de sang que ce que l'on a retrouvé sur les lieux. Le légiste estime que la mort se situe entre minuit et une heure du matin. Soit trois heures avant la découverte du corps. Dieu sait ce que ce malade a pu lui faire subir entre-temps. Des traces de sperme ont été retrouvées dans les cavités anale, buccale et vaginale. De nombreuses ecchymoses et des plaies anales sont visibles. La

LES CICATRICES DE LA NUIT

cause de la mort est bel et bien l'égorge-
ment, qui a sectionné la carotide à gauche.
Ce qu'il a noté, c'est que la plaie n'était pas
très profonde. En gros, il s'est amusé à la
scarifier, puis, arrivé au niveau de l'artère,
il l'a entaillée d'un coup sec. Par contre,
les lacérations sur le bas-ventre ont eu lieu
post mortem. Et il s'est acharné comme un
malade. C'était assez désorganisé, d'après
le médecin. En gros, pour moi, on peut
penser soit à un crime de sadique, soit à un
jeu sexuel qui a mal tourné. Niveau toxico-
logique, elle avait des traces de cocaïne et
d'alcool dans le sang. Le bol alimentaire
contenait apparemment du poisson. Et il
s'en dégageait une forte odeur d'alcool.
Donc je doute qu'elle ait été séquestrée et
nourrie avec ça, même s'il ne faut écarter
aucune piste. Je suis désolé pour les collègues du groupe qui ont l'habitude que
mes retours d'autopsie soient ponctués
d'un bon mot, mais celle-là m'a particuliè-
rement remué. Un crime d'enfoiré pareil,
on n'a pas envie de plaisanter avec. »

Philippe embraye.

« Mon pauvre Jean, c'est pas ta journée.
Cet après-midi, on va aller voir les parents
de la victime. Anaïs était domiciliée chez
ses parents, et, avec Jean, on fouillera sa
piaule. Mais, à mon avis, elle avait aussi

une crèche à Paname. Dès qu'on obtient l'adresse, il va falloir me faire une perquise minutieuse et un passage au Luminol* pour savoir si elle n'a pas été tuée chez elle. Julien et Hakim, vous allez vous tenir prêts à bouger avec une équipe de l'IJ. Pas de questions ? »

Le repas se termine, puis, après avoir avalé chacun un double expresso, les membres du groupe Valmy se dirigent vers le Bastion. À peine arrivé à l'étage de la Crim', chacun est déjà à sa tâche de l'après-midi. Aline et Antoine sont en train de rédiger les canevas de leurs auditions, Julien et Hakim préparent les documents dont ils risquent d'avoir besoin pour la perquisition. Philippe et Jean, eux, décident de partir immédiatement pour Enghien.

La voiture sort du parking et se dirige vers le périphérique. Jean conduit en silence et Philippe regarde par la fenêtre d'un air mélancolique. La vie va trop vite et, parfois, on emporte avec soi des secrets trop lourds, comme ceux d'Anaïs. C'est décidé, ce soir il parlera à Élodie. Ils ont perdu assez de temps.

---

* Technique de police scientifique servant à révéler les traces de sang, même après qu'elles ont été nettoyées.

*Le 7 novembre 2018, 20 h 00*

J'ai passé la journée à faire le ménage dans la chambre d'hôtel. Bicarbonate de soude, vinaigre blanc et beaucoup d'huile de coude. J'ai eu raison de l'énorme tache de sang sur le matelas et sur les draps. La chambre a l'air comme neuve. Je l'ai rendue à midi. Je pense à ceux qui l'occuperont après moi. Ils dormiront sur le sang fraîchement nettoyé de Cynthia. Ça me fait marrer. Pour la première fois depuis longtemps, je regarde la déco de mon appartement. Je suis assez fier de moi. Tout est propre, rangé. Luxueux, limite. Mon petit chez-moi ressemble plus à un nid douillet qu'au repère d'un sadique.

La vérité me frappe, soudainement. Depuis cette nuit, je suis devenu un tueur sanguinaire. Avant, je n'étais qu'un type lambda. J'avais toujours réussi à maîtriser ces pulsions qui me collaient au train depuis la mort de ma mère il y a quelques dizaines d'années.

Mon téléphone business me tire de mes rêveries. Numéro inconnu. Les flics appellent toujours en numéro inconnu. Mon cœur bat la chamade. J'ai peur. J'hésite. Finalement, je décroche.

« Allô ?

– J'ai entendu parler des services que vous proposez. Mon patron et ses amis voudraient s'amuser ce soir. »

Un lourd accent étranger…

« Bien entendu. Avez-vous une préférence pour la marchandise ?

– Blonde, pas plus de vingt-cinq ans.

– Aucun problème, je suppose que vous connaissez les tarifs et les prestations que l'on propose.

– Oui, tout vous sera remis en liquide.

– À quelle heure voulez-vous que je vous livre ? Combien serez-vous ?

– Deux heures du matin, à l'hôtel Crillon. Chambre 2113. Nous serons douze.

– Entendu. À ce soir. »

# Chapitre 8

*Le 6 novembre 2018, 14 h 30*

La voiture file sur le périphérique nord. Jean a coupé la radio rock qu'il impose d'habitude à ses passagers. Philippe sort son téléphone et compose un SMS à destination d'Élodie : « Ce soir, on va dîner à la Massara. J'ai réservé une table pour 19 h 30. Il y a quelque chose dont j'aimerais te parler. Je t'aime. » Une fois le message envoyé, il se sent bien. Comme lorsque l'on décide de se jeter dans le vide au moment d'un saut à l'élastique. Le courage de faire un pas en plus le long de la balustrade, puis l'extase. Le paysage qui défile à une vitesse folle, la course effrénée du vent qui vient s'immiscer entre chaque cheveu. Les yeux qui pleurent, le souffle qui se coupe, jusqu'à l'arrivée. Cette demi-seconde qui paraît une éternité, pendant laquelle on se sent paradoxalement libre, intouchable. Puis, le retour en arrière. L'élastique qui se détend, l'inconnu.

C'est ce que s'apprêtent à faire Philippe et Jean. Cette fois-ci, le major conduit sans dépasser les limitations de vitesse. Il veut arriver le plus tard possible, laisser aux parents d'Anaïs quelques derniers instants de paix. Retarder d'une poignée de secondes le début du premier jour du reste de leur vie. Dans quelques minutes, ils apprendront qu'ils ont perdu leur fille unique. En une phrase, les deux flics vont ouvrir une cicatrice qui ne se refermera jamais. Alors, se dit Jean, ce couple a encore droit à quelques minutes d'insouciance. Son téléphone se met à vibrer sur le tableau de bord. Une seconde après, de l'appareil s'échappe une chanson de Patrick Sébastien : « Le petit bonhomme en mousse... Qui s'élance... Et rate le plongeoir. » Jean ne répond pas. Philippe le regarde d'un œil amusé :

« C'est marrant, je te voyais plus écouter The Clash.

– C'est ce con de Julien, chaque fois que je laisse mon téléphone quelque part, il me change ma sonnerie.

– Toi ? Le plus geek des quinquagénaires, tu te laisses avoir ? Tu n'as pas foutu un code sur ton téléphone ?

– Si, mais je lui ai filé. Au cas où il m'arrive un truc...

76

– La confiance a son prix.

– C'est cher payé. Je préférerais que ma veuve reste dans l'ignorance.

– En parlant de ça, Jean, je vais annoncer la mort moi-même aux parents. Je pense que c'est mieux.

– De toute façon, c'est à toi de le faire. T'es chef de groupe, ça fait partie de ton job. C'est écrit sur ta fiche de paye. Juste en dessous de la CSG.

– Tu dois raquer en impôt sur la connerie, toi.

– J'ai jamais déclaré, sinon j'aurais rebouché le trou de la Sécu. »

La voiture entre dans Enghien-les-Bains. Le long du lac, juste derrière le casino, des dizaines de villas sont cachées par de hautes clôtures. Jean s'arrête devant l'une d'elles. C'est Philippe qui rompt le silence pesant.

« Allez, mon Jean, on y va. À la guerre comme à la guerre. »

Il sort de la voiture, suivi par le procédurier. Les deux hommes s'arrêtent devant une grande grille en fer forgé. Sur le muret à droite, une sonnette gravée au nom de Salignac. Philippe sonne. Espérant que personne ne répondra, leur offrant quelques heures. Un léger grésillement, puis une voix, masculine.

« Oui ?

– Bonjour monsieur, c'est la police, vous pouvez nous ouvrir ?

– Vous pouvez me montrer votre carte à la caméra ? »

Philippe s'exécute. Quelques secondes après, un bruit métallique. Jean pousse le portail. Ils arrivent devant une grande maison, sur trois étages. Bordée d'une grande piscine décorée dans un style Art déco. La pelouse est impeccablement tondue. Au fond du jardin, une balançoire, vestige des années d'innocence d'Anaïs. Philippe sent son estomac se nouer. En marchant, Jean chuchote à l'oreille de son chef de groupe.

« Comment on peut grandir dans un tel environnement et se retrouver escort-girl à vingt-trois ans ? »

Valmy se souvient de toutes ces filles qu'il a croisées.

« Peut-être à force d'en vouloir toujours plus, le frisson de l'interdit, peut-être aussi un peu la came... »

Sur le perron de la maison, un homme d'une cinquantaine d'années les accueille. Il est grand, fin, habillé de façon décontractée, mais élégante. Il s'approche d'eux d'un pas décidé.

« Bonjour messieurs, Daniel Salignac. Excusez ma vigilance, on entend tellement parler de faux policiers en ce moment… Que puis-je faire pour vous ?

– Bonjour monsieur, est-ce que votre femme est là ?

– Oui, elle travaille dans son bureau. Vous voulez la voir ?

– Nous aimerions vous voir tous les deux, à vrai dire.

– Il y a un problème ?

– Pouvons-nous entrer, s'il vous plaît ?

– Bien sûr, excusez-moi. »

En arrivant dans la maison, les deux policiers ne peuvent s'empêcher de remarquer la beauté des lieux. Les Salignac sont architectes et, apparemment, dans ce métier, les cordonniers ne sont pas les plus mal chaussés. Philippe, amateur d'art à ses heures, observe les sculptures abstraites qui décorent le salon. Il croit reconnaître un Alexander Calder. Quelques toiles, dans le même style, habillent les murs immaculés. Daniel Salignac leur propose de prendre place dans deux grands fauteuils pendant qu'il s'installe sur le canapé. Au moment où il s'assoit, une femme entre dans la pièce.

« Messieurs, je vous présente mon épouse, Florence. Florence, voici… Pardonnez-moi, messieurs, je n'ai pas saisi vos noms.

– Je suis le commandant Valmy, de la brigade criminelle. Et voici le major Parudon. »

Florence Salignac est une femme de petite taille, fine et distinguée. Ses cheveux blond cendré qui tombent sur ses épaules sont, par endroits, constellés de blanc. Souriante à son arrivée, son visage se ternit lorsqu'elle entend Philippe prononcer les mots « brigade criminelle ».

« La brigade criminelle ? Que se passe-t-il ? »

C'est Philippe qui répond. Jean n'a pas décroché un mot depuis leur arrivée dans la maison.

« Asseyez-vous, madame, nous sommes porteurs de mauvaises nouvelles. »

Elle prend place aux côtés de son mari. Son instinct maternel a pris le dessus. Pendant la seconde de silence imposée par Philippe, elle imagine le pire, accrochée au mince espoir qu'il ne s'agit que de l'illusion d'une mère trop protectrice. Le policier enchaîne. Crever l'abcès. Vite.

« Il est arrivé quelque chose de terrible à votre fille.

– Elle est à l'hôpital, où ça ? On peut la voir ? dit Daniel Salignac, s'offrant une dernière chance d'échapper à l'horreur.

– Je suis désolé, monsieur, le corps sans vie d'Anaïs a été retrouvé cette nuit à Paris. »

Dans les yeux du couple Salignac, un monde semble s'écrouler. À partir de cet instant précis, leur vie sera recouverte d'un inamovible voile noir. La femme s'effondre sur l'épaule de son mari. L'homme serre fort son épouse, au point que ses avant-bras se contractent, à la limite de l'explosion. Assis dans leurs fauteuils, les deux flics ne prononcent pas un mot. Ils assistent, impuissants, à la destruction de la vie de ce couple si tranquille, chez qui le bonheur était jusqu'ici une incontestable évidence.

Philippe laisse aux parents le temps d'accuser le coup, puis reprend.

« Je suis désolé de vous poser ce type de questions maintenant, mais, dans cette enquête, chaque minute compte. Est-ce qu'Anaïs avait un appartement à Paris ? Ou alors rentrait-elle chez vous tous les soirs ?

– Nous lui avons acheté un studio dans le XVIIIe, répond Daniel Salignac. Elle a encore sa chambre ici, mais je ne crois pas qu'elle y ait passé une seule nuit depuis le début de ses études.

– Vous avez un double des clés ? Il va nous les falloir, s'il vous plaît.

– Je vous prépare ça.

– Bien, si ça ne vous dérange pas, nous allons devoir jeter un coup d'œil à ses affaires. Puis nous vous emmènerons dans nos locaux pour vous entendre sur procès-verbal. »

Florence Salignac ne parle plus. Elle pleure silencieusement à chacun des mots de Philippe. Comme si les étapes de la procédure qu'il énumère rendaient le drame concret, palpable. Son mari reprend difficilement la parole.

« Non, bien sûr, vous avez une enquête à mener, commandant. La chambre d'Anaïs est au premier.

– Merci, je suis vraiment navré, mais je vais devoir vous demander de nous accompagner durant la perquisition. »

Philippe et Jean pénètrent dans la chambre de l'adolescente. Les murs de la pièce sont recouverts de posters de chanteurs plus ou moins à la mode, le lit à baldaquin est orné de guirlandes lumineuses. Devant la fenêtre, une coiffeuse sur le miroir de laquelle sont collées des photos d'elle au milieu d'un groupe de jeunes filles. Philippe regarde de plus près. Un jeune garçon portant fièrement une casquette à l'envers embrasse Anaïs sur une photo d'identité. L'impression d'avoir franchi une frontière. Il y a encore une douzaine d'heures, il ne connaissait pas Anaïs. Ces grands yeux, ces pommettes relevées et cette bouche charnue appartenaient encore à Cynthia. Les sanglots du couple Salignac, serrés l'un contre l'autre dans un coin de la chambre, rendent la scène plus pénible encore. Le flic a enlevé le fard dont la nuit a recouvert Cynthia pour partir à sa rencontre. Comment une jeune fille aussi ordinaire a-t-elle pu se laisser entraîner dans les eaux troubles du Paris nocturne ?

La perquisition ne donne rien. Seulement de vieux bulletins de notes et des vêtements d'adolescente des années 2010. Jean prend en photo le cliché de l'ex petit ami affiché sur le miroir et les deux hommes quittent Enghien en compagnie des Salignac. Durant tout le trajet du retour, un silence de plomb règne dans la voiture.

Une fois arrivés au Bastion, Philippe et Jean entendent les parents pendant de longues heures, durant lesquelles tout ce qu'ils savent de la vie de leur fille est couché sur procès-verbal. L'audition est ponctuée de crises de larmes de Florence Salignac, pour qui chacune des révélations que lui font les enquêteurs est un nouveau supplice. Le mari essaie de garder une certaine contenance, mais la voix chevrotante avec laquelle il répond aux questions trahit un profond désespoir. Le téléphone de Philippe sonne. Julien. Philippe s'excuse et laisse Jean finir l'audition des parents.

« Oui, Julien, je t'écoute. »

Le ripeur parle plus fort que d'habitude, sa voix est partiellement couverte par le bruit du deux-tons grâce auquel la voiture de service tente de s'extraire des embouteillages parisiens.

« On vient de finir la perquise chez Anaïs. Négatif pour le Luminol. Elle n'a pas été tuée chez elle. Sinon, on a trouvé un iPad et un ordinateur. On les emmène à la Befti* et aux "traces techno**" pour qu'ils exploitent ce qu'il y a dessus. On a aussi trouvé de la lingerie, des accessoires SM et un carnet de rendez-vous.

– Pas de came ?

– Non.

– OK, tu fais les scellés et vous rentrez au service. Tu vas m'éplucher le carnet de rendez-vous. »

---

\* La brigade d'enquêtes sur les fraudes aux technologies de l'information (Befti) est un service de police judiciaire spécialisé dans la lutte contre la cybercriminalité, également chargé de l'exploitation des appareils informatiques.

\*\* Service de l'Identité judiciaire en charge de l'exploitation des téléphones portables, smartphones et tablettes tactiles.

Au moment où il revient dans son bureau, Jean fait relire le procès-verbal aux époux Salignac. Une fois leur déposition signée, Philippe s'occupe avec eux des formalités mortuaires et leur donne rendez-vous le lendemain matin à l'Institut médico-légal afin qu'ils identifient formellement et prennent en charge le corps de leur fille.

La journée s'achève. Quand Philippe et Antoine quittent le Bastion pour aller se changer avant de s'enfoncer dans la nuit parisienne, Jean est encore en train de taper le procès-verbal d'autopsie, Julien et Hakim épluchent le carnet de rendez-vous d'Anaïs, et Aline essuie les larmes de la jeune Julie. Dans l'ascenseur, Antoine montre une pointe d'impatience.

« On se retrouve à quelle heure, ce soir, Philippe ?

– Tu vas me déposer chez moi, et tu repasses me prendre à vingt-deux heures trente. Habille-toi de façon élégante mais passe-partout. C'est bon pour toi ?

– Nickel. En route ! »

# Chapitre 9

*Le 6 novembre 2018, 20 h 00*

Quand Philippe arrive chez lui, Élodie est prête et l'attend. Elle porte une robe noire très simple. Ses cheveux bruns sont noués en chignon avec une baguette. Derrière ses lunettes à grosses montures, elle est légèrement maquillée. Philippe lui trouve un air d'artiste. Il l'embrasse tendrement.

« Je prends une douche rapide et on y va ? »

Élodie prend un air agacé.

« Dépêche-toi, Philippe, on va être en retard. »

Une demi-heure plus tard, ils sont assis l'un face à l'autre dans un restaurant aux lumières tamisées. Sur leur table, à l'écart du bruit, une bougie fait danser ses reflets dans la coupe de champagne d'Élodie. Valmy est hypnotisé par les bulles qui s'échappent de la tranche de citron plantée à la surface de son Coca light. Elle cherche le regard de son mari en souriant.

« Ça va, Philippe ?

– Désolé, Élo, j'étais ailleurs.

– C'est ton enquête qui te tracasse ?

– Oui, c'est un véritable merdier, et…

– Et tu dois ressortir bosser ce soir. Je sais…

– Comment tu le sais ?

– Tu as pris un Coca light… Exactement comme avant de partir faire ta tournée des boîtes.

– T'aurais fait un bon flic, ma chérie.

– Je sais, mais que veux-tu, je n'ai pas choisi ma carrière de DRH… C'est elle qui m'a choisie. C'est l'enfer pour moi aussi au boulot, tu sais… »

Philippe sent leur conversation s'engager sur la pente glissante du quotidien. Faire tomber le couperet, sèchement, sans prévenir. Comme on arrache un pansement ou on remet une épaule démise.

« Élodie… Il faut que je te dise quelque chose… »

Elle n'a pas l'habitude que son mari lui coupe la parole. Elle le regarde, inquiète. Valmy a du mal à finir sa phrase.

« Je suis stérile. »

Élodie dévisage Philippe, sonnée. Le choc passé, elle lui prend la main, les yeux embués de larmes.

« Ne t'inquiète pas, Philippe. On trouvera une solution. Je serai là. »

Il prend le temps de se noyer dans son regard, se voit plonger dans ses bras, dans la chaleur de son étreinte. Protégé. Rassuré. Quand elle est là, rien ne peut l'atteindre.

« Merci, ma chérie. J'ai mis du temps à prendre la décision de te le dire, tu sais… »

Le visage de sa femme s'assombrit. Elle retire sa main de celle de son mari. Elle le scrute d'un air dur. Un regard dont seuls sont capables ceux que l'on a trahis.

Ses yeux sont toujours aussi humides, mais ce sont des larmes de colère.

« Tu le sais depuis combien de temps ?

– Depuis toujours, Élo. Je n'ai pas trouvé le courage de t'en parler avant et… »

Élodie reste silencieuse et dépose consciencieusement sa coupe de champagne sur la table, comme si elle risquait de se briser sous la force de sa fureur. Après de longues secondes pendant lesquelles elle soutient le regard de son mari, elle prend la parole, d'une voix étranglée.

« Tu te fous de ma gueule ?

– Élodie, ne le prends pas comme ça. Tu l'as dit toi-même : il y a plein de solutions que l'on peut envisager. Si tu veux un enfant, on aura un enfant…

– Le problème, ce n'est pas de savoir si je veux un gamin ou pas, Philippe. Le problème, c'est que tu aies continué à coucher avec moi quatre fois par jour pendant mes ovulations, que tu aies joué le jeu en sachant que j'étais la conne de service.

– Élodie, laisse-moi parler s'il te plaît...

– En fait, j'ai pas envie de t'écouter, là. Tu vas aller dormir ailleurs, à partir de ce soir.

– Ne le prends pas comme ça, s'il te plaît...

– Je le prends comme je veux, connard ! »

Élodie prend une gorgée de champagne et jette le reste de sa coupe au visage de son mari. En enfilant son manteau, elle plante ses yeux dans ceux de Philippe.

« Je vais boire un verre dans un bar, toute seule, pour réfléchir. »

Philippe essuie lentement son visage avec sa serviette de table. Il est sonné. À cinquante ans, sa vie amoureuse a connu des hauts et des bas. Les années passent, mais chaque rupture rappelle une douleur qu'il croyait enfouie pour toujours. En réalité, elle non plus n'a jamais su l'écouter. À croire que leur différence d'âge les fait exister dans deux univers différents. Le désir ardent de maternité de sa femme s'est souvent heurté au sentiment de résignation qui l'a gagné au fil des années de solitude et des déceptions amoureuses. Il se lève et croise un serveur qui apporte à leur table deux énormes burratas.

« Je suis désolé, mais nous allons y aller. Combien je vous dois pour le tout ? »

Une fois sorti, un courant d'air froid vient frapper Valmy en plein visage. Il remonte le col de son caban et avance vers chez lui. Cette scène, il l'a déjà vécue... Marié à trente ans, il s'est vite laissé entraîner dans un rythme effréné, imposé par une administration qui en demande toujours plus aux flics qui le sont par vocation, voyant en eux une grande force de travail. Un jour, c'était la planque de trop. On ne sent pas arriver le point de rupture. Un matin, après avoir passé sa nuit dans une camionnette aux relents d'essence, il est rentré, exténué. En passant la porte, il a trébuché sur une valise. Ses yeux se sont alors levés vers sa femme, en pleurs au milieu du salon. La rupture s'est faite en silence. Il a pris ses affaires et a fait demi-tour. Lui qui s'était toujours battu jusqu'au bout était incapable de dire le moindre mot. Il est allé sonner à la porte de son chef de groupe et, pendant deux mois, a passé ses nuits sur un clic-clac inconfortable. Il a reçu, un jour, au bureau, les papiers du divorce et les a signés sans même les lire.

Ses pas se perdent sur les trottoirs parisiens, et une larme naît au coin de son œil. Il doit se reprendre... Dans deux heures,

Antoine sera en bas et il devra retourner enquêter, aller secouer ses indics, faire preuve de fermeté, porter un masque de dureté qui ne laissera voir aucune faille. Il va falloir naviguer entre les cachotteries des uns, les mensonges des autres, les vérités dites à demi-mot… Et, en attendant, trouver un endroit où dormir ces prochains jours. Il prend son portable et compose le numéro de Louis, son ancien binôme, qui décroche avec une voix joviale.

« Salut, la Crim' ! Je me demandais quand tu allais m'appeler pour ton affaire. Tu as mis le temps, dis donc. Je te laissais jusqu'à demain matin avant de te passer un coup de grelot. »

À ces mots, le flic prend immédiatement le pas sur le mari.

« Tu as quelque chose pour moi ?

– Bingo ! Cynthia ne bossait plus à son compte depuis deux mois. Elle apparaît dans un dossier du groupe des Réseaux clandestins* chez nous. Apparemment, elle tapinait sur Internet pour un site d'escorts de luxe géré depuis la Russie.

– Tu as le nom du site ?

---

* Groupe des Réseaux clandestins : groupe de la brigade de répression du proxénétisme en charge des réseaux de prostitution.

– J'ai mieux. Le dossier t'attend sur le bureau du chef des Réseaux demain matin.

– C'est toujours Hervé ?

– Toujours, il est indéboulonnable, tu sais bien.

– Et tu n'aurais pas pu m'appeler avant ?

– L'info ne nous est arrivée qu'il y a une heure. Le stagiaire d'Hervé n'a pas regardé les TG* avant.

– Merci quand même... Je ne t'appelais pas pour l'affaire, Louis. J'ai un truc à te demander. Je peux élire domicile sur ton clic-clac quelque temps ?

– Des problèmes avec ta douce ? Je te préviens, je ne serai pas ton lot de consolation. C'est arrivé une fois, on était bourrés et c'est terminé. Peu importe l'effet qu'a sur moi ton regard de glace.

– T'es en forme, toi. C'est OK, alors ?

– Évidemment ! Tu débarques à quelle heure ?

– Tard. Je dois aller voir mes tontons pour les questionner sur mon affaire.

– Tu vas aller voir qui ? Tu veux que je vienne avec toi ?

– Non, j'y traîne déjà mon adjoint. Je vais lui faire voir un peu ce que sont les

_____

* Télégramme : terme générique désignant une note d'information diffusée dans les services de police.

nuits parisiennes. Il a une tête de comp-
table qui a bien besoin d'être décoincé.

– Je vois le genre. Bon, amuse-toi bien,
et ne rentre pas trop tard, mon chéri.
Demain matin, tu dois être à neuf heures
au bureau. »

## Chapitre 10

À vingt-deux heures vingt-neuf, Antoine gare la Renault Mégane devant l'immeuble de Philippe, rue de Turenne. La ponctualité est l'une de ses plus grandes qualités. Jamais trop en avance, ni trop en retard, il est précis comme une montre suisse. Peut-être un héritage de son enfance dans les Alpes, loin de ses parents, dans une communauté jésuite.

Quand Philippe lui a proposé de faire avec lui la tournée de ses indics, il a été enchanté. Enfin, il allait pouvoir en apprendre un peu plus sur lui. Évidemment, il a eu du mal à digérer qu'on lui retire la direction du groupe. Mais, finalement, il s'accommode bien de la place de second. Il ne l'avouera jamais à haute voix, mais il se sent même plus à l'aise ainsi. Il peut être calife à la place du calife de temps en temps, mais surtout, s'il y a un souci, il n'est pas le premier responsable. Ce soir, l'idée d'aller traîner ses basques dans les lieux interlopes de la capitale lui file des frissons. Même si ce n'est pas la police dont il rêve, l'aspect humain de la gestion d'informateurs lui plaît. Comme spectateur, évidemment. Ainsi, il ne prend aucun risque. Il se regarde dans le miroir du pare-soleil conducteur. Il a du mal à cacher son excitation. Et puis, personne ne le sait, mais il est en train de jouer avec le feu, avec les frontières de son jardin secret. En sortant enquêter ce soir, il parfait son numéro d'équilibriste. Et ça l'excite un petit peu.

Philippe sort de son immeuble avec cinq minutes de retard. Antoine est agacé. Comment peut-on se prétendre meneur d'hommes et arriver en retard ? Le père Aurélien ne l'a pas élevé comme ça, bon Dieu ! Il ne peut s'empêcher de constater que son chef de groupe est élégant, mais sans en faire trop… Philippe est sans aucun doute le genre de mec que l'on regarde quand il rentre quelque part. Il aurait tout donné pour avoir ce physique avantageux. Il en a toujours été persuadé : les gens beaux ont un pouvoir naturel qu'il n'aura jamais.

Philippe écrase une cigarette et entre dans la voiture. Il ne l'avait jamais vu fumer avant. À peine assis, il lui tape sur l'épaule.

« Alors, prêt pour la tournée des grands-ducs ? »

Antoine répond par un rictus.

« Oui, un peu fatigué, mais ça va. Tu fumes, toi, maintenant ?

– Plus depuis dix ans, normalement. Mais là, j'ai fait une exception. Allez, roulez jeunesse.

– On va où ?

– On va commencer par l'hôtel Saint-James, rue de Rivoli. »

La voiture démarre. Philippe règle la radio sur TSF Jazz. Cela irrite Antoine, il aime beaucoup France Info. Pas de musique, des faits, rien que des faits.

« Quand on roule dans Paris la nuit, on ne devrait écouter que du jazz, pas vrai ? » Les mots de Philippe agacent beaucoup son équipier.

Les notes de Nat King Cole accompagnent la voiture qui fond dans la nuit parisienne. Philippe regarde défiler les lumières, ouvrant grand les yeux pour qu'elles paraissent floues. Il se donne l'impression d'échapper à la réalité du monde, de ne rien saisir de ce qui l'entoure. Et ça le rassure. Les doigts de Nat sur le clavier effacent ses soucis. Plus rien n'a d'importance. Élodie devient une silhouette indistincte, l'enfant qu'ils n'auront jamais disparaît de ses pensées. Le tueur qu'il traque est sous les verrous. Il n'y a plus que lui. Lui et la nuit. Lui et Nat. Il se sent flotter, bercé par les lueurs de Paris. Pour Philippe, la musique est une sortie de secours, le seul moyen d'offrir à son cerveau le répit qu'il mérite. Quand Django gratte sa guitare, quand Louis se met à chanter, quand Chuck Berry ou Keith Richards font résonner dans ses enceintes des riffs de génie. C'est à ces moments précis que Philippe Valmy devient un être dénué de souvenirs, d'affect, de névroses. Il ne se pose plus de questions, n'a plus peur de l'échec. Lors de ses premières affaires, quand il était jeune inspecteur, il rentrait dans son studio et allumait une chaîne hi-fi qu'il écoutait des heures durant, un casque dernier cri sur les oreilles, allongé sur le sol, fixant le plafond couvert de taches d'humidité. Évidemment, son maigre salaire de l'époque ne lui permettait pas de vivre aussi bien qu'aujourd'hui. Il usait ses baskets jusqu'à ce que les semelles soient trouées, ses jeans changeaient de couleur à force d'être portés, mais il n'a jamais acheté autre chose que le dernier cri en matière de sono. La plénitude n'a pas de prix.

« Quel con ! » La voix plaintive d'Antoine le sort de ses pensées. Il regarde son adjoint, qui a évité un cycliste de justesse. Sa bouche pincée, son regard droit sur la route. Il a l'air stressé. Philippe ne lui dit rien. Une tension palpable règne dans la voiture. Antoine se gare devant l'hôtel et abaisse le pare-soleil police. Philippe le remonte.

« Pas la peine de se faire remarquer, Antoine.

– On va se faire enlever la caisse.

– Tu plaisantes, j'espère. »

À peine sa phrase terminée, la portière de Philippe s'ouvre. Le voiturier, souriant, lui serre la main.

« Bonjour commandant Valmy, comment allez-vous ?

– Toujours bien, Yann. Ange est là ?

– Bien sûr, dans son bureau. Je vous annonce ?

– Non, je vais le surprendre, ce vieux fourbe. Je vous présente Antoine, mon nouvel adjoint. »

Ce dernier s'avance et offre au voiturier une poignée de main forcée.

« Je vous surveille la voiture, commandant ?

– S'il vous plaît, oui. »

Quelques minutes plus tard, ils sont dans une vaste pièce remplie d'écrans de vidéo-surveillance. Ange Ceccaldi, le chef de la sécurité de l'hôtel, commande deux whiskys et un Perrier à la réception. Lorsque la serveuse arrive, il se lève péniblement, traînant ses cent kilos pour un mètre soixante jusqu'à la porte. Ange est l'un des indics les plus prolifiques de Philippe. C'est grâce à ses tuyaux jamais percés que la BRB* a réussi à loger un braqueur qui s'était enfui d'une prison de haute sécurité il y a quatre ans. Ange est parfait dans son rôle. Quelques tatouages douteux sur les mains, une silhouette ronde et imposante, le crâne chauve et des yeux d'aigle.

Les trois hommes boivent en silence. Ange ne regarde pas Philippe. Il soutient le regard d'Antoine, comme un fauve qui scrute sa proie. Il n'est pas agressif, loin de là. L'important pour lui, c'est de sentir les gens. Il esquisse un sourire et descend une gorgée de whisky.

« Dis donc, Philippe, vous les prenez au berceau, maintenant, aux Cabarets. J'ai toujours vu que des anciens jusqu'ici.

– Antoine n'est pas aux Cabarets, Ange, dit Philippe en souriant. Maintenant, je suis à la Crim'. Antoine est mon adjoint.

– La Crim' ? Alors tu me rends une visite de courtoisie, je suppose.

– Pas vraiment, on enquête sur le meurtre d'une escort. Une gamine de vingt-trois ans qu'on a retrouvée à poil sur une pelouse dans Paris. Je voudrais que tu me dises si tu la connais. »

* Brigade de répression du banditisme.

Philippe sort la photo d'Anaïs en scrutant la réaction de son indic, qui regarde le cliché, éberlué.

« Putain, Cynthia...

– Tu la connais ?

– Bien sûr, elle venait de temps en temps prendre une chambre ici avec des michetons. Mais ça doit bien faire six mois que je ne l'ai pas vue.

– Tu as noté quelque chose de particulier ?

– La dernière fois que je l'ai vue, on a eu quelques soucis avec un de ses clients. Un mec de Bobigny qui a cru que notre hôtel était une MJC et qui a mis de la musique un peu fort dans la chambre. Quand on est venus lui demander de baisser le son, il a insulté le groom et a voulu en venir aux mains. Par conséquent, on lui a demandé de quitter les lieux... En bons gentlemen.

– Tu as son nom, à ce péquenaud ?

– Tu penses bien qu'il n'a pas laissé d'adresse. Mais j'ai sa trombine. Je l'ai extraite des vidéosurveillances pour le blacklister. Tu veux ?

– Je veux bien, c'est un début... »

Ange sort un énorme classeur d'un tiroir de son bureau. Antoine est médusé. Le document est rempli de photos prises par des caméras de surveillance, triées par dates. Il en sort celle d'un homme d'une trentaine d'années, au visage marqué, à la silhouette fine et aux vêtements passe-partout. Philippe observe l'image.

« Plutôt classique, comme type. Il vient de Bobigny, c'est ça ?

– C'est ce qu'il a raconté à Cynthia en tout cas. À mon avis, elle ne lui a pas demandé de justificatif de domicile.

– Je te remercie, Ange.

– De rien, tu veux un autre verre ?

– C'est gentil, mais la soirée commence tout juste. On a encore pas mal de boulot.

– Comme tu veux, mon vieux. Bonne fin de soirée. »

Antoine et Philippe quittent l'hôtel en silence. Une fois dans la voiture, Antoine prend la parole, estomaqué.

« Tu bois pendant le service, toi, maintenant ?

– Tu ne connais pas Ange, il n'y a pas plus susceptible qu'un Corse. Si tu refuses un verre d'alcool, il se braque. Regarde la tronche qu'il a tirée quand j'ai refusé le deuxième.

– Tu aurais pu faire comme moi et prendre un Perrier, c'est tout.

– Écoute, ici, c'est mon territoire. Laisse-moi faire. Je connais les codes. Il t'a regardé comme on regarde un premier communiant. Tu n'aurais jamais pu lui soutirer la moindre information.

– Drôle de bonhomme, quand même.

– Ancien collègue. Il s'est fait choper en train de magouiller en obtenant des autorisations de fermeture tardive à des débits de boisson à Marseille. Il a pris un an ferme et s'est fait lourder de la boîte.

– Il a plutôt bien rebondi.

– Il est plus malin qu'il n'en a l'air.

– On va où, maintenant ?

– Il est minuit, on va aller rue Vivienne, au Boudoir. C'est vers les Grands Boulevards. »

Sans répondre, Antoine fait démarrer la voiture. Philippe sent le whisky lui monter à la tête. La ville le nargue en défilant sous ses yeux. Depuis vingt ans, il a vu la capitale changer : Barbès est devenu un repère de nouveaux riches où les vendeurs de clopes à la sauvette côtoient dans une atmosphère bruyante des consultants en numérique persuadés d'habiter dans le nouvel eldorado parisien. Saint-Germain-des-Prés n'est plus fréquenté que par de vieux acteurs et des écrivains à la mode. Ce n'est plus dans les bars de la rue des Canettes que la jeunesse parisienne vient oublier qu'elle vit dans des appartements trop petits et trop chers. Maintenant, les Parisiens branchés vont

« se la coller » dans des lieux éphémères où le demi est servi dans un verre en plastique au prix d'un billet de train Paris-Nice. Il est fatigué. Il aimait sa ville d'avant, qui a vieilli en même temps que ses figures emblématiques. Le gros Michel est toujours rabatteur à Pigalle. Mais il a pris des rides, perdu de sa gouaille. Ses filles n'ont pas été remplacées depuis vingt ans, ce qui rend le spectacle bien moins attrayant. La barre de pole dance les soutient plus qu'elle ne les propulse, et le mousseux dégueulasse qu'elles servaient à prix d'or aux michetons de province s'entasse dans la remise. La boîte ne tient plus qu'aux euros qu'une bande de dealers de Champigny-sur-Marne y a « investis ». Les filles tapinent sur Internet, et les pigeons préfèrent payer des « camgirls » en restant chez eux.

Un bruit de klaxon le tire de ses rêveries. Antoine vient de griller un feu rouge. Philippe sourit. « Eh ben alors ? On n'est pas concentré ? » Il ne répond pas et se gare à proximité de la rue Vivienne. Les deux hommes marchent tranquillement vers le club échangiste.

« Ça va ? Tu n'as pas l'air dans ton assiette...

– Ça va, je ne suis juste pas trop dans mon élément.

– Laisse-toi aller, ce tonton-là, il est vachement plus cool. Rien à voir avec Ange. Là-bas, tu peux être nature. N'hésite pas à poser des questions, aussi. »

L'adjoint hoche la tête d'un air faussement rassuré. Ils arrivent enfin devant la porte. Personne n'attend devant. Une petite plaque dorée portant l'inscription « Club privé » est vissée à côté du chambranle. Un visiophone émet un faible rai de lumière. Philippe appuie sur la sonnette. Son téléphone vibre dans sa poche. Ange. Il s'écarte pour répondre.

Il est seul, devant la porte. Au bruit de la serrure, Antoine tressaille. Il a le trac. Ça ne loupe pas. Karim, le barman, lui fait un grand sourire et l'embrasse avant même qu'il n'ait le temps de dire « ouf ». « Alors, Antoine, tu es tout seul ce soir ? Tu sais bien que je ne fais rentrer que les couples. » Il devient rouge pivoine. Moment de flottement. Valmy, accroché à son téléphone, n'a rien loupé de la scène. Il vole à son secours.

« Salut, Karim, désolé de te décevoir, mais on vient pour le boulot.

– Je ne comprends pas trop, Philippe. »

Antoine, gêné, bredouille.

« Je suis policier, en fait. Je travaille avec lui.

– Sacré Antoine ! Tu m'avais dit que tu étais agent immobilier. »

Philippe sauve la mise de son adjoint.

« C'est un bon flic, et la première qualité d'un bon flic, c'est d'être discret. Max est là ? »

Karim a l'air un peu vexé, persuadé qu'il entretenait avec Antoine un rapport quasi amical.

« Ouais, il est là, entrez. »

Philippe tape sur l'épaule de son adjoint. Antoine le regarde, comme un gamin pris en faute. Son seul vice, sa seule aspérité. Son jardin secret a été mis au jour. Son chef de groupe le rassure.

« Tu fais ce que tu veux de tes nuits, mec. C'est pas mes oignons. Et je n'en parlerai à personne. Je vais aussi briefer Max et Karim. Quand ils viendront au 36 pour être entendus, ils feront comme si tu étais un parfait petit premier communiant. »

La gêne d'Antoine commence à se dissiper. Max, derrière son bar, en rajoute une couche.

« Ça alors ! Un de mes meilleurs amis, accompagné de l'un de mes meilleurs clients. Le monde est petit ! »

Philippe embrasse le gérant et lui demande s'ils peuvent s'isoler. Les trois hommes traversent rapidement le club. C'est un soir de semaine, il y a peu de clients. Quelques hommes d'affaires en goguette accompagnés de filles plus ou moins rémunérées, un couple de touristes et des habitués. Au fond du club, Max ouvre une porte dérobée qui donne sur son bureau. Le décor est très différent de celui du Saint-James. Pas de caméras de surveillance, quelques caisses d'alcool empilées ici et là et un ordinateur portable posé au milieu d'un tas de factures et de feuilles volantes.

Max sort trois verres et une bouteille de whisky. Philippe, cette fois-ci, n'hésite pas à refuser et demande deux Perrier à Max.

« Alors, Philippe, qu'est-ce qui vous amène ?

– On bosse sur un homicide, Max. J'ai une mauvaise nouvelle.

– Quoi ?

– On a retrouvé Cynthia, morte. »

Max s'étouffe dans son whisky. Son visage jovial prend une teinte plus sombre. Comme si l'annonce de la mort de l'escort-girl lui avait tout à coup fait prendre dix ans.

« Elle est morte comment ? On l'a assassinée ?

– Je te passe les détails, mais oui. Tu l'avais vue récemment ?

– Pas depuis quelques mois. Il faut que je te parle d'un truc, Philippe. Ça fait trois ou quatre mois que je suis au courant. Cynthia ne bossait plus à son compte. Elle avait été julottée* par un type du 93.

– Comment tu sais ça ?

– Parce qu'elle me l'a dit. Un soir, elle avait bu un coup de trop, son micheton était rentré chez lui, et elle est restée au bar. Quand la boîte a été vide, je lui ai dit qu'il était temps de se barrer. Elle s'est mise à chialer comme une Madeleine. Alors, tu me connais, j'ai pris le temps de l'écouter. Elle m'a dit que c'était un mec du 9-3. Au début, elle l'a envoyé se faire foutre, mais le mec s'est montré un peu plus insistant. C'est pas à toi que je vais apprendre comment fonctionnent ces types. Du coup, depuis, elle bossait pour lui.

– C'était du tapin d'appartement ?

– Ah non, Cynthia, elle était au-dessus de ça. Apparemment, elle ne se tapait plus que des PDG, des joueurs de foot ou des princes saoudiens.

– Elle t'a donné un nom ?

– Je lui ai demandé, mais elle n'était pas assez saoule pour prendre ce risque-là. Tout ce qu'elle m'a dit, c'est qu'elle se faisait un fric fou, mais qu'en échange elle

---

* Terme policier signifiant que son petit ami, proxénète, l'a prise sous sa coupe.

n'avait plus trop le pouvoir de dire non. Elle avait l'air assez abîmée, si tu veux mon avis.

– C'est un peu vague, mais on va voir ce que ça donne en creusant. Merci, Max. On va y aller.

– Tu ne veux pas rester un peu, histoire de rattraper le temps perdu ?

– Désolé, demain matin, on doit être sur le pont à neuf heures. »

Antoine blêmit. Philippe lui avait promis qu'il pourrait passer la matinée sous la couette.

Sur le trajet du retour, Philippe coupe la musique.

« Bon, on n'a pas mal de billes, là…

– Tu déconnes, on n'a rien. On a entendu parler d'un type qui serait du 93 et on a une tronche de client sur vidéosurveillance.

– Tu te souviens qu'Ange nous a aussi dit que le mec venait de Bobigny. En gros, on a eu deux éléments qui nous amènent là-bas. J'ai aussi eu un coup de fil d'un de mes anciens collègues de la BRP qui me dit qu'ils ont un dossier dans lequel ressort le blase de Cynthia. Je trouve qu'on n'est pas mal.

– On commence par quoi, alors ?

– Demain matin, j'irai voir le chef de groupe de la BRP en charge du dossier. Je vais essayer de voir ce qu'il veut bien partager avec moi. Et puis on ira faire un tour dans cette charmante bourgade du 93 pour voir si dans leur Canonge* ils n'ont pas une trombine qui correspond à la nôtre. Un abruti qui fout le bordel dans un hôtel de luxe, il y a de fortes chances qu'il se soit fait serrer pour autre chose. En attendant, il est deux heures du matin, donc je te jette chez toi et on va dormir. Je passe te prendre avec la caisse demain matin à huit heures et demie. »

Après avoir déposé Antoine, Philippe se dirige vers chez Louis, sa valise dans le coffre. En sortant de la voiture, il consulte l'écran de son téléphone. Deux messages.

Élodie : « Je pars chez mes parents ce week-end. Si tu veux venir récupérer le reste de tes affaires, c'est le moment. »

Max : « Passe me voir, je ne voulais pas parler devant ton adjoint, mais j'ai un truc à te dire. »

---

* Logiciel permettant d'identifier des auteurs d'infraction en recoupant les critères physiques avec les clichés d'individus mis en cause pour crime ou délit.

# Chapitre 11

Jean est attablé au Pied de Cochon, l'une des rares brasseries encore ouvertes à cette heure tardive. Face à lui, Aline et Hakim rient autour de leurs pintes de bière. Hakim a le teint blafard après avoir passé sa soirée à éplucher les papiers administratifs d'Anaïs sous la lumière criarde des néons du Bastion. Sur le visage d'Aline, un sourire franc se dessine sous des yeux qui portent la lourdeur des mots qu'elle a entendus ce soir. Elle a passé trois heures à essuyer les larmes de Julie, la seule véritable amie de Cynthia, alias Anaïs. Trois heures à faire tomber, pierre par pierre, le mur d'innocence qui entourait encore le cœur de cette jeune fille. Celui qui s'écroule quand on arrive brusquement, à vingt ans, dans le monde des adultes. Alors, ce moment de rires, de détente et d'alcool, le groupe Valmy a décidé de se l'offrir, même si les chefs sont partis jouer aux noctambules.

Les yeux d'Aline fixent le fond de la salle. Julien sort des toilettes.

Sa tignasse faussement négligée tranche avec son look toujours soigné et sa barbe parfaitement entretenue. Depuis qu'il y traîne sa silhouette longiligne, il suscite l'intérêt de la gent féminine du 36. Loin d'en tirer parti, il n'a jamais rien dévoilé de sa vie amoureuse.

En arrivant à la table, il fait comme s'il ne s'était aperçu de rien. Il pose amicalement sa main sur l'épaule de Jean, hèle la serveuse et lui commande une omelette au fromage avec des frites.

« Je parie ma chemise que l'ancien a pris un tartare », dit-il.

Aline, que l'alcool et la fatigue ont rendue plus loquace, lui répond du tac au tac.

« Dommage, tu as raison. »

Julien décide de ne pas laisser passer l'affront.

« Eh, tu sais que le harcèlement est à la mode en ce moment ? »

Aline lui sourit, connaissant l'esprit taquin de son collègue.

« Plus à la mode que la chemise de Jean, c'est certain. »

La tablée explose de rire. Même Hakim, d'habitude si discret, se laisse aller.

« Je dois avouer, Jean, que depuis que je suis à la Crim', j'ai envie de t'emmener faire du shopping à la pause de midi. Quand on fait une enquête de voisinage avec toi, les témoins ont l'impression de voyager dans le temps, c'est gênant, tu vois…

– Tu peux parler, petit. Mon style est une légende. J'ai été le thème d'un banquet de la Crim' alors que tu n'avais même pas passé le concours. Alors, je ne le changerai que si Monica Bellucci me le demande. »

La gouaille de Jean fait repartir les rires de plus belle. Dans les fous rires trop forts d'Aline, dans les yeux brillants de Julien, quand Hakim, imperceptiblement, s'enfonce dans la banquette pour s'y mettre à l'aise, et que Jean fait semblant d'être vexé, c'est toute la lourdeur de leur journée qui s'évanouit. Ils recouvrent le cadavre de Cynthia de leurs rires. Pendant un moment, ils sont comme une famille qui se réunit en période de deuil et dont toutes les émotions sont exacerbées. C'est ce que provoque la mort chez ceux qui la côtoient. Elle donne envie de se sentir plus vivant, quitte à faire trop de bruit.

Aline entame avec appétit son magret de canard, l'un des rares vestiges de son Sud-Ouest natal. Affectée à La Courneuve à sa sortie de l'école de police, elle s'est très vite

LES CICATRICES DE LA NUIT

fait remarquer par ses supérieurs, qui l'ont mutée, après un an de police-secours, à la brigade de protection de la famille. Là-bas, elle a vu défiler des enfants abusés, battus, des femmes effrayées par leurs maris, parfois aussi le contraire. Tous les soirs, elle rentrait chez elle avec dans la tête les regards des petites têtes blondes qui passaient la porte de son bureau, avec qui elle allait jouer à la poupée pour essayer de trouver la vérité sur ce parent ou ce professeur qui avait enfreint les règles de l'innocence enfantine. À son retour, son labrador lui sautait dessus, l'enrobant de cet amour inconditionnel dont seuls les chiens sont capables. Puis, un jour, elle est rentrée avec un de ses collègues, Laurent. Un baqueux de Seine-Saint-Denis au regard doux et aux bras protecteurs. Son chien a tout de suite adopté ce nouveau compagnon et, depuis, il n'est jamais reparti.

Au moment du dessert, elle demande, un petit peu éméchée :

« Et Philippe, vous en pensez quoi, vous ?

– J'en pense qu'il parle parfois comme un vieux film », répond Hakim, que la soirée a rendu plus détendu qu'à son habitude.

Julien répond plus sérieusement.

« Il est sympa, il a l'air plutôt bosseur, et modeste. J'ai trouvé assez classe la façon qu'il a eue de laisser Antoine mener le briefing. »

Aline acquiesce.

« Il s'en est bien sorti avec Napoléon, je trouve. »

Les pires surnoms sont ceux dont on ne se doute pas, et Antoine a été affublé de celui-là par le reste du groupe lorsqu'il a assuré l'intérim de chef. Aline poursuit.

« En revanche, j'ai vraiment l'impression qu'il ne connaît rien au boulot. Quand on passe vingt-cinq ans à traîner dans les lupanars, un cadavre, ça déroute. Moi, ça me fait flipper d'avoir un chef qui ne sait pas ce qu'il fait. Comment je fais, moi, quand j'ai une question ? »

Jean la regarde en souriant.

« Pendant un an, quand Napoléon était le chef, tu allais voir qui ? Ton major préféré. Alors, pour l'instant, tu continues comme ça. Je vais vous dire, les enfants. Vingt-cinq ans de PJ, ce n'est pas rien. Philippe, il connaît le boulot. Il a du flair. Et puis, niveau management, on passe de la nuit au jour, non ?

– C'est vrai que c'est plutôt sympa de ne pas se faire prendre pour des billes. Je me souviens qu'Antoine préférait parler des dossiers avec les autres chefs qu'avec nous. C'était vexant... »

Jean continue de calmer les ardeurs de ses collègues.

« Antoine est sorti de Cannes-Écluse il y a sept ans, il faut lui laisser du temps. Je suis sûr que ce n'est pas un mauvais mec dans le fond, il a juste besoin d'apprendre le métier à l'ancienne. Il est à bonne école avec Philippe. En parlant de notre nouveau chef, ce qui me rassure, c'est qu'il n'a pas besoin de faire semblant de connaître notre métier mieux que nous pour asseoir son autorité. Il vient d'arriver, il le sait. Et de toute façon, il a tellement de vécu PJ qu'on sent qu'il n'a rien à prouver. Ça change. »

Hakim redonne de la légèreté à la conversation.

– Eh, il faut qu'on lui trouve un surnom... Vous avez une idée ?

– Moi, il me fait penser à une vedette de cinéma des années soixante. Le côté costard, col roulé, cheveux longs...

– Et aussi les yeux bleu glace et les traits burinés, renchérit Julien.

– Je propose Alain Delon, dit Hakim.

– Non, c'est beaucoup trop gentil, dit Aline. Je préfère Alain Deloin, comme dans le sketch des Inconnus. »

Jean éclate de rire.

« Vendu pour Alain Deloin. »

Et, comme pour officialiser le nouveau surnom de leur chef, il commande quatre digestifs.

*Le 9 novembre 2018, 22 h 00*

Les flics ont découvert le cadavre de Cynthia. Mais j'ai pris toutes les précautions. Jamais ils ne remonteront jusqu'à moi. Dans le hall de l'hôtel, je ne laisse rien transparaître. Comme quand je me suis occupé du corps. Pas d'ADN, pas d'empreintes. Rien.

Elle est là, à mes côtés. Jolie, jeune, prête à tout. Si elle savait ce qui l'attend. Les plus bas instincts de l'être humain. L'argent fait tourner la tête. Le peu de pouvoir qu'il donne ne suffit plus. Ces hommes-là ne cherchent plus que la puissance. Leur fric doit pouvoir tout leur payer, jusqu'à la dignité d'une jeune fille.

En la regardant, j'ai des remords. Une partie de moi a envie de la sortir de là. À son âge, on ne devrait pas être ici. Mes yeux s'attardent sur sa peau laiteuse, ses yeux bleu azur, ses cheveux dorés. Elle ressemble à un tableau de la Renaissance. Elle est l'innocence incarnée. Ça leur plaira beaucoup. Puis, j'observe ses vêtements. Son décolleté plongeant, sa robe, ses chaussures... Heureusement pour moi, elle ne ressemble pas à ce qu'elle est. Jamais je ne pourrais me montrer dans un lieu public avec un stéréotype de prostituée. Ces idiotes maquillées comme des camions volés, qui portent des vêtements bas de gamme achetés dans les boutiques de Pigalle ou de la rue Saint-Denis, me dégoûtent.

Elle m'attendrirait presque. Mais je n'oublie pas ce qu'elle est, ce qu'elle fait pour gagner sa vie. En pensant à ma mère, je me dis que le destin pour ces filles est inévitable. Un gamin non désiré, une vie de tapin, deux existences gâchées. Rien ne pourra la sortir de là. L'ascenseur s'ouvre sur un homme qui s'approche de nous. Le type est très brun, cheveux gominés en arrière. Costume de grande marque. À première vue, je dirais un Hugo Boss. Il me remet une enveloppe. Je me lève et vais compter aux toilettes en la laissant avec lui. Elle sait très bien qu'elle ne doit pas monter sans mon accord.

Quand je reviens, l'homme de main est debout, impassible, à côté d'elle. Dans ma poche, vingt mille euros. Le tarif pour que je ferme les yeux et me pince le nez. Je fais un signe discret à la fille. Elle se lève et se dirige vers l'ascenseur, suivie du type en costume. Je m'installe au bar de l'hôtel et me commande une Badoit. Dans la suite présidentielle, les loups sont lâchés. Et c'est moi qui nettoierai l'enclos.

# Chapitre 12

Dans le couloir de la brigade de répression du proxénétisme, des rires se font entendre autour de la machine à café. Pendant que le chef des Cabarets et Philippe racontent leurs souvenirs d'anciens combattants, le groupe qui les écoute s'agrandit petit à petit. Les enquêteurs arrivent au compte-gouttes. Certains ont la mine déconfite de ceux qui ont passé la nuit en planque et qui doivent revenir à neuf heures du matin. Les retrouvailles terminées, Philippe Valmy est assis dans le bureau du commandant Hervé Durance, chef du groupe de lutte contre les réseaux clandestins. Sur ses étagères, des dizaines de pancartes « No Sex », « Tout rapport sexuel avec des masseuses est proscrit » côtoient des trophées de golf. Hervé est un homme précis, au cordeau. D'ailleurs, quand il revient avec deux tasses de café, chacune est remplie au même niveau. Aucun de ses gestes ne peut souffrir de la moindre imprécision. C'est d'ailleurs ce qui en fait un professionnel hors pair. Petit et trapu, même sa façon de s'habiller trahit la finesse avec laquelle il gère ses rapports sociaux. Élégant, mais jamais trop afin qu'on ne le prenne pas pour un chef de service. Le secret de sa carrière tient à cela : avoir su rester à sa place pendant ses vingt ans de police judiciaire. Philippe remarque que l'un des stylos posés sur son bureau n'est pas aligné. Il attend patiemment de voir sa moue agacée lorsqu'il le constatera. Durance se laisse choir dans sa chaise et ne donne pas le temps à son ancien collègue de parler en premier.

« Alors, mon vieux Philippe, il semblerait que mes idiots de Bobigny t'intéressent.

– Un peu, oui. J'ai la nette impression qu'il me faudrait dix vies pour connaître toutes les spécialités délictueuses du 9-3. C'est du proxénétisme de cité, ton affaire ? »

Durance attrape un épais dossier. En le posant devant lui, il replace son stylo d'un air courroucé et présente son affaire.

« Ah, non, mon vieux, là, on est dans du haut de gamme. Pas les annonces Internet bourrées de fautes d'orthographe. Regarde. C'est la meilleure préface du dossier que j'aie pu trouver. »

Durance pianote sur son ordinateur et tourne l'écran vers son collègue.

« Je te présente venusescort.com. Un vrai supermarché en ligne. »

Philippe écarquille les yeux devant l'écran. Une cinquantaine de photos de jeunes filles en sous-vêtements défilent sous ses yeux. Le flic poursuit son exposé.

« Le site est hébergé en Russie, je te laisse imaginer le boxon que ça va être pour remonter toute la filière. En gros, tu cliques sur une fille, et tu as accès à toutes ses prestations. Évidemment, les tarifs ne sont pas indiqués en euros. Ils utilisent le mot "roses", histoire que ça soit bien évident. Je ne te cache pas que je rêve quand même de voir un micheton se pointer avec un bouquet de trois cents fleurs pendant une de nos surveillances. »

Durance semble fier de son bon mot.

« Bref, jusqu'ici, on a réussi à remonter sur des mecs de cité un peu plus malins que les autres qui s'occupent de ramasser l'argent, emmener et ramener les filles et faire la sécu quand il y a des clients. On suppose qu'elles bossent dans des apparts loués sur Airbnb. Vu les tarifs et les adresses, ça doit être hyper luxueux.

– Et ma victime aurait bossé pour eux ?

– Regarde par toi-même. »

Durance fait défiler la page Internet jusqu'à une photo de Cynthia en porte-jarretelles. Philippe se sent mal. Imaginer des types fantasmer sur l'image de son indic lui retourne l'estomac. Il ne voit plus que les photos de l'autopsie. Durance reprend.

« Heureusement que les mecs de ton groupe ont balancé la photo de Cynthia sur le réseau interne. Sinon, on n'aurait jamais percuté.

– Merci à toi, Hervé. Mais pour ton info, le mec qui a fait ça est une femme. Et tu en es où sur le dossier ? »

Durance semble gêné de sa gaffe.

« On sait où est le point de rendez-vous des zouaves qui se répartissent après dans les apparts. On va essayer de les filocher demain après-midi quand ils iront au turbin. Après, on va planquer devant les lupanars improvisés pour essayer d'établir des faits de prostitution. Et, si on a de la chance, on réussira à accrocher un numéro de téléphone business avec les bornes et les heures d'appel. Tu veux venir jouer avec nous ?

– Pourquoi pas, oui. De toute façon, on n'a pas grand-chose d'autre à se mettre sous la dent. Si ça ne t'ennuie pas, je vais venir avec deux collègues de mon groupe. Plus on est de fous, plus on rit, non ? »

Durance prend un air contrarié.

« On va être serrés… »

Philippe reconnaît là le côté rusé de son collègue.

« Ne te bile pas, Hervé. On viendra à trois avec deux bagnoles, ça permettra au dispo de respirer un peu plus. »

Un grand sourire se dessine sur le visage du chef de groupe.

« Ah, Philippe ! Je vois que tu restes près des réalités du terrain malgré ton poste chez les seigneurs de la Crim'. Tu es un saint homme.

– N'en fais pas trop quand même… »

Dans le grand *open space*, Valmy griffonne frénétiquement sur le tableau blanc. Cette fois-ci, il a pris la tête du briefing quotidien. Les tasses de café fument entre les mains des membres du groupe. Julien et Aline sont affalés sur leurs fauteuils, les yeux marqués par leur soirée d'hier. Hakim se tient debout, un tas de feuilles dans les mains, prêt à répondre à la moindre question de son chef, sous l'œil un petit peu attendri de Jean. Seul Antoine manque à l'appel. Pour la première fois de sa vie, il a eu une panne de réveil. Le jeune capitaine semble avoir été ébranlé par sa virée nocturne. Alors qu'il passe la porte du bureau, tiré à quatre épingles, Philippe lui lance un clin d'œil complice.

« Ah... Capitaine, c'est ce qui arrive quand on suit les anciens dans leurs tribulations nocturnes. »

Antoine, pris au dépourvu, s'apprête à lui renvoyer une répartie potache, mais se ravise.

« Désolé de mon retard. Panne de réveil. On commence ? » demande-t-il en s'installant dans le dernier fauteuil libre.

Le chef de groupe laisse à peine à son adjoint le temps de s'installer.

« Cynthia est morte depuis vingt-quatre heures, qu'est-ce qu'on sait pour l'instant ? Qu'elle s'appelait en réalité Anaïs, qu'elle était en master de lettres à la Sorbonne Nouvelle, qu'un de ses professeurs a tenté de la sortir du trottoir, en vain, apparemment... »

Jean le coupe.

« En vain, ou pas, c'est peut-être aussi le mobile du crime. Elle aurait pu vouloir arrêter et mettre quelqu'un en rogne... »

Antoine regarde Jean, éberlué, pendant que Philippe note la remarque dans une grande colonne « mobiles ? » et enchaîne.

« OK, vous en pensez quoi, de l'hypothèse ? »

Hakim lève timidement la main.

« On t'écoute... »

– Pour moi, ça ne tient pas. Le type s'est acharné. Si elle avait voulu arrêter, et qu'on avait décidé de l'en empêcher, ça aurait dû ressembler à un crime de voyou. Là, on a la signature d'un sadique.

– Je suis d'accord, dit Aline. J'ai passé la soirée à auditionner sa meilleure amie hier, et elle ne m'a pas parlé de ça... »

Antoine la coupe.

« Elle n'était peut-être pas au courant.

– Ça m'étonnerait, se défend Aline. Je te filerai le PV d'audition, tu verras qu'elle en savait beaucoup. Cynthia lui disait tout. »

Philippe coupe court à la joute.

« Peut-être qu'elle ne voulait pas mettre sa copine en danger. Ce genre de proxo peut être dangereux. En revanche, je propose que l'on n'utilise plus le nom Cynthia. On va respecter la mémoire de notre victime et éviter de l'appeler par son nom de scène. Aline, tu as eu d'autres infos de la part de la copine ?

– Apparemment, Cynthia... euh... Anaïs n'était pas très bien récemment. Elle avait des clients qui lui demandaient des choses un peu extrêmes. Ça lui rapportait pas mal de fric, mais elle supportait mal. Sinon, niveau sentimental, elle était très solitaire. Pas de petit copain depuis des années. Et elle n'avait pas d'autres amies. »

Julien enchaîne.

« On a retrouvé pas mal d'antidépresseurs chez elle. Si on doit tirer des conclusions, elles sont plutôt évidentes : solitaire et dépressive.

– Secrète, aussi, enchaîne Hakim. Les collègues de la Befti ont eu beaucoup de mal à exploiter son ordinateur. Anaïs cryptait tout. Tout ce que j'ai de concret pour l'instant, c'est son journal intime. On trouve tout sur ses rendez-vous et la façon dont ça se passait, mais rien sur ses clients. Elle ne nomme ni ne décrit personne. Sur sa boîte mail, rien d'autre que de la pub ou des commandes. À mon avis, elle ne se servait que de son portable. »

Philippe prend des notes sur le tableau au fur et à mesure que le briefing avance. Si les trois ripeurs du groupe ont quelques maigres éclairages sur Anaïs, Jean et Antoine n'ont pas appris grand-chose des parents et du professeur Schwartz. Philippe conclut la réunion.

« Pour finir, Antoine et moi sommes revenus avec un peu de biscuits. »

Il sort d'une pochette la photo extraite d'une des caméras de surveillance de l'hôtel.

« Voilà l'un des clients d'Anaïs. Apparemment, le type viendrait de Bobigny. Et, bizarrement, tout nous ramène là-bas.

Un vieux copain de la BRP m'a appelé pour me dire que notre victime apparaît sur un site Internet d'escorts sur lequel ils bossent. La plateforme est hébergée en Russie, mais il y aurait des ramifications à Bobigny. Ça m'a aussi été confirmé par un tonton. Du coup, ça, il faudrait savoir si elle y est allée régulièrement. Hakim, tu vas me retrouver ses trajets via son pass Navigo et faire une réquise à Uber et tous les services de VTC pour savoir si elle avait un compte. »

Julien le coupe.

« Pour Uber, j'ai un copain qui travaille là-bas. Je vais lui envoyer la réquisition directement, ça ira plus vite.

– J'ai des doutes pour Uber, dit Hakim. Elle n'avait pas Facebook, Instagram ou quoi que ce soit. À mon avis, elle ne voulait pas être fliquée. Donc peu probable qu'elle ait eu un compte chez le nouveau Big Brother. En revanche, le Navigo, ça vaut le coup. Je m'y colle cet après-midi.

– Parfait, enchaîne Philippe. Avec Jean, on va aller à Bobigny pour voir si on arrive à identifier la tronche de cake qui était sur les caméras. Ce matin, tout le monde bécane. On ne va pas déjeuner tant qu'on a ne serait-ce qu'un PV en retard. Vu la vitesse à laquelle ça avance, on ne peut pas prendre le risque d'être largués niveau paperasse. »

Tout le groupe se lève, prêt à attaquer. Philippe les retient.

« Une dernière chose : demain, on monte sur une filoche avec la BRP pour essayer d'identifier les apparts dans lesquels tapinait Anaïs. Il me faut deux volontaires. »

Immédiatement, Aline, Julien et Hakim lèvent la main.

« Vous tirez à la courte paille. Moi, je vais voir le taulier pour le tenir au courant. Rendre compte, encore, toujours... »


« Et le Parquet, Philippe ? Tu comprends que, depuis vingt-quatre heures, tu ne m'as rendu compte de rien ? Je te rappelle que tu es officier de police judiciaire, directeur d'enquête... Et qu'à ce titre tu dois m'informer de toutes tes avancées, histoire que je ne passe pas pour une bille devant le magistrat, qui commence franchement à s'impatienter... »

Du haut de son mètre quatre-vingt-dix, Valmy regarde son chef de section comme un gamin pris en faute. Gilles Brizard, son ami de vingt ans, lui passe une soufflante d'anthologie bien méritée.

« Excuse-moi, Gilles, je vais l'appeler pour lui expliquer, dit Philippe, désolé.

– Non, surtout pas. Les relations avec le Parquet, c'est mon job. Tu fais vraiment chier, Philippe. Ton indic se fait zigouiller, je prends ta défense auprès du taulier histoire que tu puisses mener ton enquête, et c'est comme ça que tu me remercies… Mais bon, je ne vais pas te mettre la tête au fond du seau, tu as bien avancé depuis vingt-quatre heures. Continue avec tes gars, moi je vais faire tampon avec Graziani et le proc. Comment est l'ambiance dans ton équipe ?

– Plutôt bonne, mais j'ai l'impression que mon adjoint n'est pas comme un poisson dans l'eau.

– Le petit Antoine ? Il a du mal avec l'esprit PJ…

– Il a un sacré balai dans le cul, oui. »

Brizard s'étouffe dans son café. Il rit franchement.

« Commandant Valmy, où est passé votre légendaire sens de la diplomatie ?

– Tu as raison… On dira que ça m'a échappé. Ou mieux… Que j'ai dit ça pour te conforter dans ton idée…

– Quelle idée ?

– Qu'il vaut mieux que je ne m'adresse pas directement au procureur… »

Le chef de section sourit.

« Au fait, le chef de groupe de la BRP, tu le connais ?

– Un petit peu », répond Philippe.

Brizard le regarde en levant un sourcil. Philippe lit en lui comme dans un livre ouvert.

« Tu as peur qu'il nous la mette à l'envers ?

– Disons que le taulier pense à une co-saisine\*, et que je me demande si c'est une bonne idée.

– Pour te dire la vérité, je ne pense pas que ce soit un type qui cherche à s'approprier le dossier. De ce que je sais, il cherche à sortir de belles affaires, mais il n'essaiera pas de nous piquer celle-là. Et puis, le principal, c'est de foutre ce taré au trou, non ?

– Tu as raison, Philippe. Je ne vais pas t'embêter avec mes considérations de lapin de corridor. Je vais voir ce qu'en pense le taulier. »

Philippe est amusé par le verbe de son chef de section.

« Bon, désolé, Gilles, mais je dois quitter l'ambiance feutrée de ton bureau pour la bucolique bourgade de Bobigny.

---

\* Enquête menée par deux services de police en même temps.

– Vous me ramènerez des tulipes, commandant. »

La Renault Megane pile rue de Carency. « Bordel ! Ils ne savent pas conduire, ici. » Jean tape sur le volant. Depuis qu'ils sont sortis de l'autoroute, cela fait deux fois qu'on lui grille une priorité à droite. Enfin, ils arrivent devant l'hôtel de police de Bobigny. Philippe regarde le haut bâtiment d'un air triste. Scotchée négligemment sur le portail, une feuille volante sur laquelle une main consciencieuse a griffonné : « Portail en panne, passez par la rue de Lorraine ». En face du bâtiment, le Palais de Justice ne fait pas meilleure figure. Un gardien de la paix en tenue pousse la lourde grille bleue pour laisser entrer une escouade de gendarmes. Valmy se sent blasé.

« Les portails, dans le 93, c'est comme l'ascenseur social. Toujours en panne. »

Après avoir fait un détour par la zone pavillonnaire qui jouxte le commissariat, la voiture de la Crim' stationne devant le poste de police. Dans la cour, Jean allume une cigarette. Par les portes vitrées lardées de fissures, des noms d'oiseaux parviennent aux oreilles du major. Un groupe de sept mineurs vient d'être interpellé pour violences volontaires avec arme devant le collège Charles-Péguy. Un matin comme un autre sous les palmiers de Seine-Saint-Denis.

Alors qu'ils avancent dans un couloir aux murs criblés de tracts syndicaux, ils croisent un jeune homme menotté, aux cheveux ébouriffés, les chaussures dépourvues de lacets. Ses yeux, bien que fatigués, s'illuminent en voyant Jean, qui a mis aujourd'hui un costume noir très rock et une paire de santiags. En passant à côté de lui, le jeune esquisse un sourire. « Dick Rivers, ma gueule ». Philippe explose de rire et tape sur l'épaule de son collègue. Le policier qui conduisait le comique du moment ne peut totalement cacher son amusement. Pas de délit d'outrage ce coup-ci.

Une heure plus tard, les deux flics ont les yeux rouges. L'ordinateur sur lequel est installé le logiciel Canonge a un écran hors d'âge qui n'atténue pas les effets de la lumière bleue. Ils ont fait défiler des photos anthropométriques d'hommes fatigués qui correspondraient peu ou prou au type de l'hôtel. Ces portraits sont empreints d'une forme de magie noire. Ils pourraient avoir été pris par le studio Harcourt, cela n'y changerait rien : les hommes et les femmes y ont les traits tirés, le regard éteint. Comme si le photographe avait réussi à capter avec son objectif la dureté d'une mesure de garde à vue et le désarroi de ceux qui la subissent. Même les plus coriaces, les plus rudes, dégagent sur ces clichés une forme d'humanité et de tristesse unique en son genre.

Sur les centaines de visages qui ont défilé, aucun ne ressemble à l'homme qu'ils recherchent. Cette virée à Bobigny n'aura servi qu'à leur rappeler la chance qu'ils ont de ne pas travailler dans ce bâtiment délabré, entourés de collègue désarmés qui passent leurs journées face à la plus triste forme de misère humaine. Jean décide de fumer une dernière cigarette, bercé par les sonnets déclamés par les sept poètes en herbe qui passent le temps dans leurs cellules. Philippe en profite pour appeler Max. Il tombe sur la messagerie. Rien de bien étonnant, il est midi, le noctambule dort encore.

« Salut, Max, c'est Philippe. J'ai reçu ton SMS. On dîne ensemble pour en discuter ce soir ? Vingt heures à l'endroit habituel ? »

## Chapitre 13

Sur le boulevard Saint-Germain, la nuit est déjà noir ébène. Les voitures filent sous les lampadaires, et une bruine naissante fait rebondir des gouttes d'eau sur leur pare-brise. En traversant la chaussée, Philippe manque de se faire renverser par un scooter. Le son strident du klaxon résonne encore dans ses oreilles quelques minutes après. Maudits acouphènes. Il déambule le long des immeubles cossus, regarde la horde de touristes qui fait la queue devant chez Lipp. Nostalgique d'une époque qu'il n'a pas vécue, il pense au temps béni où les murs de cette brasserie faisaient résonner les bons mots de Guitry, où les poignées dorées des lourdes portes aidaient Gainsbourg à se maintenir debout. Le nez pointé vers les arbres qui se dénudent à la faveur de l'automne, il se prend à rêvasser jusqu'à ce qu'il loupe l'angle de la rue Saint-Benoît. Pendant cinq minutes, entre sa voiture et ce croisement, il a tout oublié. Élodie, Anaïs, la BRP, les cadavres, Antoine qui doit se décoincer, Jean qui ferait mieux d'acheter ses fringues ailleurs que dans une machine à remonter le temps, son pote Louis qu'il a croisé au petit-déjeuner, en slip kangourou et tee-shirt « Johnny Hallyday 1993 ». Chaque petit détail de sa vie a disparu au profit des lumières de Paris, de la pluie qui constelle son costume, et de ces satanés acouphènes.

Devant L'Entrecôte, une nouvelle vague de touristes forme une file d'attente qui s'étend sur une trentaine de mètres le long du restaurant. Il adresse un clin d'œil discret à la cheffe de rang, qui le reconnaît tout de suite.

« Salut Philippe, ton ami est déjà arrivé, je l'ai installé au fond.

– Loin du bruit ?

– Loin du bruit. Depuis le temps, je sais… »

Max est attablé devant un verre de rouge. Comme d'habitude, Philippe le détaille à mesure qu'il avance. Toujours son éternelle chemise blanche, son crâne rasé à la perfection et cette barbe naissante qu'il entretient depuis plusieurs mois. Ses yeux noirs et ses traits taillés à la serpe en feraient un parfait tueur à gages s'il n'avait pas cet air rieur qui lui colle au visage et le rend éminemment sympathique. Philippe esquisse un sourire en arrivant devant lui. Il ne s'assied pas et le regarde d'un air entendu.

« Max, tu sais très bien que je déteste être dos à la salle. »

L'indic se lève pour lui faire la bise et en profite pour changer de place.

« Tu ne changeras jamais, poulet. Tu ne veux pas me faire confiance ?

– La confiance est une question de point de vue, et je te rappelle que tu n'es pas flic. Moi, si...

– Depuis le temps que je te connais, je suis un peu comme un flic, répond Max d'un air farceur.

– Ouais, si tu veux. Mais, à mon avis, tu es bien mieux payé que moi. Alors, comment ça se passe chez toi ? Tu ne devais pas me parler d'un truc ? »

Fidèle à la tradition du restaurant, la serveuse dépose devant eux deux énormes salades aux noix. Max répond en mastiquant.

« Rien de bien neuf sur les banquettes du Tout-Paris, Philippe... Le calme plat. Tu en es où de ton enquête ?

– Secret-défense, répond Valmy, malicieux.

– Tu avances à ce point ?

– Ou pas. Pour l'instant, on ne fait que tomber sur des impasses.

– Alors, tu vas aimer ce que je t'apporte.
Je ne voulais pas trop discuter avec ton
adjoint. Même en tant que client, je ne l'ai
jamais senti.

– Ne m'en parle pas, il était vraiment
gêné en entrant dans le club.

– Vous en avez reparlé ?

– Ce que mes hommes font en dehors
du service ne me regarde pas, Max, répond
Philippe en souriant. Et n'essaie pas de me
tirer les vers du nez, tu voulais me dire
quoi ? »

Max reste silencieux pendant de longues
minutes. Philippe le sait, il est susceptible. Les relations avec les informateurs
se compliquent à mesure qu'elles avancent
dans le temps. Plus elles sont saines, plus
le risque de vexer ou de heurter l'autre
est grand. Un informateur est comme
une paroi que l'on escalade, petit à petit.
Plus on monte haut, plus la chute sera
dure en cas de maladresse. Depuis vingt
ans, il a appris à jongler avec ses tontons. Il sait que, là, Max va revenir dans
la course, tout seul. La serveuse arrive
avec un immense plat argenté rempli de
frites qu'elle pose à côté d'eux. À peine
quelques secondes s'écoulent avant que
sa collègue ne dépose sur leurs assiettes
de belles tranches de viande recouvertes

d'une sauce devenue légendaire. Les assiettes débordantes redonnent le sourire à Max. Valmy relance la conversation

« Les meilleures entrecôtes du monde... Tu ne trouves pas ?

– Yes, Sir ! J'arrête de te filer des tubards le jour où L'Entrecôte ferme.

– Tu vas être mon meilleur indic, alors.

– Ce n'est pas déjà le cas ?

– Oh, si, grand prêtre des nuits pari- siennes, heureux propriétaire des alcôves qui enjaillent toute la République. Éclaire- moi de tes lumières. »

Max répond, la bouche pleine.

« Cynthia... Il paraît qu'elle bossait pour un mec de Boboche*... »

Philippe le coupe.

« T'as Alzheimer ou quoi ? Je le sais déjà, ça.

– Non, mais laisse-moi finir. Le mec travaillerait pour un type basé en Russie qui héberge un site... Venusescort.com. Tu connais ?

– Oui, un peu. On est déjà dessus.

– Je croyais que tu n'avais pas de pistes... »

Philippe s'en veut. Pris dans la conversa- tion, il a laissé échapper une info. Il ne lui reste plus qu'à espérer que son indic n'est

_____

* Bobigny.

pas en cheville avec le fameux inconnu de Bobigny.

« Secret-défense. Tu sais qui tient le truc ?

– Oui, monsieur. »

Max est interrompu par une serveuse qui apporte une deuxième tournée de viande. Une fois servi, il se remet à manger en silence.

« Bon, alors, tu la craches, ta Valda ?

– Ta Valda ? Dis donc, tu ne grisonnes pas pour rien, toi. Tu prends de l'âge. Fais gaffe, tu vas bientôt te mettre à penser que Saint-Germain, c'était mieux avant. »

Philippe fronce légèrement les sourcils.

« Bon… Ton type, là, il s'appelle Wylan…

– Ouh là. Soit c'est un Américain, soit il a un prénom à la con, lui.

– Eh bien, figure-toi qu'il est né dans le 93, loin, très loin des côtes californiennes… Mais s'il a un prénom à la con, lui ne l'est pas du tout. Jamais chopé pour quoi que ce soit. Une vraie savonnette…

– Tu sais à quoi il ressemble ?

– Tu ne veux pas son état civil, aussi ? J'en sais rien, moi. Tout ce que je sais, c'est qu'un soir, j'ai entendu Cynthia s'engueuler avec un mec au téléphone, pour une histoire d'argent. Et à la fin, elle a dit : "Va te faire enculer, Wylan. Maintenant, je vais bosser seule."

– Et Cynthia a été assez conne pour passer ce coup de fil dans la rue ?

– Elle était défoncée, Philippe.

– Et c'était quand, ça ?

– Il y a deux semaines, environ. »

# Chapitre 14

*Le 8 novembre 2018, 15 h 00*

« À tous de Hervé, je suis en place dans la rue des Lilas avec vue sur le dom. Dès que ça sort, Yoann démarre la filoche. Si ça part à pied, c'est Aline qui prend, c'est reçu ? Je vous rappelle qu'ils sont potentiellement dangereux. Vigilance maximum. »

Hervé et Philippe sont installés à l'arrière de la voiture banalisée, protégés des regards par des vitres sans tain. Pour une fois, Valmy a mis un jean, un polo et des baskets qui lui donnent un faux air de champion de golf sur le retour. En attendant de voir sortir les deux proxénètes de leur terrier, le commandant Durance pense trouver chez son ancien camarade une oreille attentive et se met à râler au bout de vingt minutes de planque.

« Ils sont chiants, mes gars, tu vois ? Parce que moi, je veux qu'on utilise les Acropol*,

_____

\* Automatisation des communications radioélectriques opérationnelles de la police nationale, système de communication radio de la police.

comme avant… Et eux, ces cons, ils font toutes leurs filoches avec leurs portables sur un groupe WhatsApp ou je sais pas quoi. Et moi, je leur dis tout le temps : "Ben oui, ducon, mais le jour où ton téléphone tombe en panne de batterie, le jour où on te le pirate, eh ben tu vas l'avoir dans l'os, parce que toutes nos méthodes seront connues, ils auront les photos de nos objectifs. Alors qu'un bon vieil appareil photo et une Acropol, y'a que ça de vrai." Non ? Tiens, regarde, je viens de passer un message radio, et ces idiots, ils m'ont tous envoyé "Bien reçu" par SMS. Si même à la PJ on devient des gros geeks, il y a un jour où on ne pourra plus menotter un mec si on n'a pas de batterie sur nos téléphones. Tu ne crois pas, Philippe ? »

Valmy sourit tristement. Il n'a pas vraiment écouté ce que lui a dit Hervé. Il a simplement compris, aux intonations de sa voix, que son ancien collègue était sur la rengaine de « c'était mieux avant ». Comme lui lorsqu'il a traversé Saint-Germain-des-Prés, comme Jean lorsqu'il chausse ses santiags… L'éternel refrain des quinquagénaires. Pour Philippe, ces heures de planque qui rythment la vie des flics de terrain ne sont jamais vaines. On passe de longues minutes à fixer un endroit : une porte pour qu'elle s'ouvre, une fenêtre pour qu'elle s'allume, un bar pour en voir sortir un type à la mine patibulaire. Comme un félin, on ne quitte pas son objectif des yeux une seule seconde. On peste au moindre camion de livraison qui nous bouche la vue pendant un instant, on taille le bout de gras avec son collègue, souvent le même, par affinité quand c'est possible. Mais jamais Philippe n'a détourné son regard du point qu'il surveillait. Et, dans ces moments-là, quand le silence régnait dans la voiture ou dans l'appartement, les yeux rivés sur son objectif, il laissait s'évader ses pensées.

Quand il était de bonne humeur, un album des Stones qu'il connaissait par cœur se jouait dans sa tête. Mais aujourd'hui, à l'arrière de ce break, pendant qu'Hervé regrette le bon vieux temps, il pense à Élodie, à son divorce qui lui pend au nez. Éternel rêveur, il se prend pour un personnage de film, un flic maudit, rongé par son enquête, délaissé par sa femme, solitaire. Puis la réalité lui revient en pleine face, moins glamour, mais plus rassurante : il est commandant de police, à la Crim', il a un tueur sur les bras, mais il n'est ni alcoolique, ni dépressif, ni cocu. Un violent coup de coude dans les côtes le tire de ses pensées.

« Putain, ça sort, ça sort ». Durance se saisit de sa radio : « À tous de Hervé, ça sort, deux individus. Européens, environ trente ans, taille moyenne, bruns tous les deux. Tous les deux en jean foncé, l'un avec chemise blanche et veste de costard, l'autre en sweat gris. Ça se dirige vers le parking... »

« C'est suivi en direct pour Yoann, je me prépare à les récupérer à la sortie du parking... »

« OK, ça monte dans une Audi A1 grise, immat AK-987-ZJ... Yoann, tu prends la filoche, tu essaies de laisser un écran. Normalement, y'a pas mal de circulation, ça devrait le faire... Les autres véhicules suivent et on se relaiera. Je veux le soum* derrière Yoann pour faire écran... Rachid, tu restes derrière avec le T-Max pour monter vite s'ils font un coup de sécu... On communique par Acropol, priorité à Yoann... Ça démarre... Ça sort du parking. »

Hervé prend le volant. Philippe escalade les sièges pour monter à la place passager. La filature démarre. Au bout de quelques minutes, la radio grésille :

« Hervé de Yoann, ils sont chauds. Ils ont fait un tour de rond-point, je lâche. »

---

\* Sous-marin : camionnette banalisée servant aux surveillances discrètes.

C'est Philippe qui reprend le contrôle de la radio.

« Bien reçu, Yoann, on récupère. »

Yoann fait équipe avec Aline, qui a pris le volant. Ils s'engagent dans la dernière sortie. Le soum, conduit par Marc, l'un des hommes d'Hervé, accompagné de Julien, stationne à l'entrée du rond-point, comme s'il hésitait à s'engager. Une fois que l'Audi prend la deuxième sortie, Hervé dépasse le soum et fait vrombir le moteur pour se placer derrière eux, suivi par la camionnette, Yoann et le scooter. Philippe annonce la progression.

« Ça se dirige vers le métro Bobigny-Pablo-Picasso... Ça fait demi-tour au rond-point après le Palais de Justice... À mon avis, ça va vers le métro pour se poser... Au rond-point, Julien, tu passes derrière eux pour pouvoir mater... »

L'intuition de Philippe était la bonne. L'Audi stationne face à la gare de bus RATP que dessert le métro. Les voitures attendent, en embuscade, dans une rue adjacente, prêtes à reprendre la filature. Julien a la priorité radio.

« Ils sont posés, ils ne descendent pas de la caisse... À mon avis, ils attendent des filles.

– Reçu, Julien. Équipe-toi pour partir en piéton s'ils se séparent et que ça va dans le métro…

– OK, c'est bon… L'Audi fait des appels de phares… Il y a deux filles qui viennent de sortir du métro. La vingtaine, corpulence mince, vêtues de jeans, l'une avec un blouson de cuir noir, l'autre avec un manteau mi-long gris, cheveux châtains toutes les deux… Plutôt bien sapées… Elles se dirigent vers la caisse… Elles montent dans la voiture. Ça va repartir…

– OK, c'est reçu pour Yoann, on va reprendre la main… »

Suivant l'habile ballet des voitures et du scooter, la filature continue jusque dans la capitale. Au niveau de la place de la Concorde, l'Audi des suspects s'embarque sur les Champs-Élysées et ralentit sur l'avenue. Sentant que la voiture peut bifurquer à tout moment sur la droite, Philippe demande au scooter de passer devant. Les objectifs s'engouffrent rue de Washington et se garent sur une place de livraison. Hervé doit prendre une décision, rapidement. Le scooter s'arrête sur le trottoir, et Rachid sort son téléphone, faisant mine d'attendre quelqu'un. Les autres véhicules se dispersent aux alentours, en attente du retour radio du motard.

« À tous de Rachid, ils viennent de déposer les filles. Le conducteur est resté au volant, le type avec la veste est en train de rentrer dans un immeuble au 72 de la rue… »

Hervé se saisit de la radio.

« OK, l'Audi va sûrement repartir. Yoann et toi, vous allez assurer la filoche pour voir s'ils vont se poser ailleurs que chez eux. En attendant, le soum et nous, on va essayer de se poser dans la rue. Quand on voit entrer un type qui a l'air d'un client, on attend qu'il ressorte et on prend ses déclarations. Comme d'hab… (La radio se coupe une seconde.)… On va changer les équipages. Philippe et Julien vont se poser dans le soum pour mater, et Marc et moi on sera dans la caisse pour les intercepter au bout de la rue. Dès que ça bouge, Rachid, tu nous donnes le top et tu enquilles derrière eux.

– Bien reçu, Hervé. »

Quelques minutes plus tard, Julien et Philippe sont installés dans le soum. Si Valmy a connu des collègues taiseux, Julien n'en fait pas partie. Le jeune homme et son chef de groupe profitent de ces heures de planque pour faire connaissance. Le commandant se sent tout de suite proche de lui, en confiance. Il se met à lui parler comme il aurait parlé à un ami de vingt ans :

« Tu sais, mon arrivée s'est faite dans la douleur. J'ai un peu morflé à la maison depuis que je suis à la Crim'. »

Julien sent que son chef a besoin de parler.

« Tu as morflé comment ? »

Philippe ne répond pas tout de suite. Il se mure dans le silence pendant quelques secondes, au cours desquelles ces dernières semaines défilent à toute vitesse. La porte de l'immeuble s'ouvre. Philippe saisit son Acropol, Julien pianote sur WhatsApp un message à l'attention de Marc. Les deux générations de flics ne se sont toujours pas mises d'accord.

« Hervé de Philippe. Ça sort… Cinquante ans, dégarni, polo bleu ciel, pantalon beige et blazer bleu marine. Il porte un attaché-case marron. Le look du quartier. C'est bon. Ça se dirige vers vous. »

Une fois l'homme disparu à l'angle de la rue, Philippe se met à parler. Il raconte tout. Son travail aux Cabarets, Élodie, leur rencontre, leur envie d'avoir un enfant, sa stérilité et, enfin, la rupture, qui semble inévitable. Julien reste silencieux, écoutant son chef, l'homme sur lequel il s'appuie depuis un mois, étaler devant lui ses fai-blesses. Jusqu'à Antoine, il avait toujours vu en ses chefs de groupe des hommes infaillibles, qu'il fallait suivre jusqu'au bout. Sans hésiter. Il ne voulait pas voir leurs faiblesses d'homme, parce que ça aurait remis en cause leurs décisions. Réflexe de jeune enquêteur qui doit se trouver un guide et, naturellement, se tourne vers le chef. Il n'en a pas connu beaucoup avant Antoine. Seulement deux. Puis, lorsque ce dernier a pris l'intérim, il a compris que sa vraie « flèche », celui qui lui apprendrait toutes les ficelles, le plus sage, ça serait Jean. Alors il écoute Philippe lui raconter ses malheurs, parce que ça lui fait du bien. C'est un don qu'il a toujours eu. Les gens se confient à lui. Philippe conclut son discours :

« Enfin, tu sais ce que c'est, les femmes...

– Non, Philippe, je ne sais pas, dit Julien en souriant.

– Arrête de faire le modeste... T'as une sacrée gueule de play-boy. Tu as dû avoir quelques histoires... »

Julien rit franchement.

« Personne ne te dit rien, dans ce service, hein... »

Silence. Philippe comprend soudain.

« Ah, merde, alors ! Je suis désolé, Julien, je ne savais pas... », bredouille le chef de groupe.

153

Julien ne peut s'arrêter de rire. Il se souvient de la réaction de ses collègues lorsqu'un soir, lors d'un dîner de groupe au restaurant, il est venu accompagné de Yannick, l'homme qui partage sa vie.

« Non, mais ne t'excuse pas, c'est plus une maladie depuis 1981.

– T'es con… Et ça n'a pas été trop difficile pour toi dans la boîte avec ça ? On n'a pas toujours les collègues les plus fins, je sais…

– Je ne m'étale pas. Mais, dans le service, je n'ai jamais eu à déplorer quoi que ce soit. Avant, je ne sais pas, mais maintenant, on a une association assez influente dans la boîte pour que les homophobes n'aient plus envie de le hurler sur tous les toits.

– J'espère qu'ils vont créer une asso de flics à santiags pour Jean. Ça le sauvera…

– Je pense qu'il en joue un peu. Sa légende se signe du bout de ses semelles… »

Julien ne finit pas sa phrase, quelque chose vient d'attirer son attention.

« Le type, au bout de la rue… Il regarde son portable. À mon avis c'est positif. Je pense que c'est un nouveau client. »

L'homme avance le long des immeubles cossus, une serviette à la main. Son visage est baissé vers son téléphone, ne laissant voir que son crâne légèrement dégarni. Philippe et Julien tentent de le distinguer dans la pénombre. Au moment où il lève la tête, les yeux du chef de groupe s'écarquillent. Il tape sur l'épaule de son subalterne.

« Mon cher Julien, je te présente le professeur Schwartz, l'un des enseignants d'Anaïs. Le bon samaritain désintéressé… »

# Chapitre 15

Un bruit de klaxon. Strident. Un vélo qui passe devant ses roues. Philippe est au carrefour des Maréchaux et de l'avenue de Clichy. Des barrières vert et gris jalonnent les trottoirs et rendent la circulation encore plus difficile. Il allume la radio et écoute les informations pour couvrir le bruit des marteaux-piqueurs et tenter d'oublier qu'il est bloqué entre une camionnette, un VTC et sûrement une dizaine d'autres collègues de la PJ qui, après leur permanence, rentrent chez eux en voiture de service. Il tourne la tête et voit une jeune femme dans une Smart noire qui hurle et tape derrière son volant en klaxonnant. Ses cheveux dans les yeux, elle a un regard de possédée. Ses nerfs ont lâché. La circulation parisienne troue autant les cerveaux que la couche d'ozone.

Un jingle attire son attention. « Il est neuf heures, le journal. » Première mauvaise nouvelle : il est en retard. « Voici les titres :

le meurtre d'une jeune femme à Paris fait piétiner la brigade criminelle. Le procureur de Paris a donné ce matin une conférence de presse invitant à la plus grande prudence après l'assassinat d'une jeune femme il y a trois jours dans la capitale. La victime a été retrouvée déshabillée et atrocement mutilée aux alentours de la porte de la Villette. » Valmy coupe le son. Les klaxons lui minent moins le moral que la scène qui se jouera dans son bureau dans quelques minutes. Gilles Brizard, son ami, frappera à la porte, les traits tirés, accompagné par le grand patron, Graziani. Si le visage de cet homme est impassible en toutes circonstances, le taulier fera pourtant bien comprendre à Philippe qu'il lui faut des résultats le plus vite possible. Finalement, Valmy n'est pas pressé d'arriver.

Une demi-heure plus tard, le groupe est réuni. Cette fois-ci, Antoine est installé dans un fauteuil et ne se fait pas remarquer. Philippe, de plus en plus à l'aise dans l'exercice, se livre au briefing quotidien.

« Je profite de ces quelques minutes de calme avant la tempête pour vous l'annoncer et faire le point : la presse a mis le nez dans notre dossier. On s'y attendait, donc inutile de jouer les vierges effarouchées : ils font leur boulot comme on fait le nôtre.

Connaissant les patrons, ils vont nous couvrir. Si tout va bien, on ne verra même pas l'ombre d'un micro. Le service communication de la direction prépare des éléments de langage que les tauliers distilleront afin de ne pas gêner notre enquête. Ils ont eu une formation aux médias, pas nous. Donc, même si vous êtes contactés par des journalistes, vous ne répondez pas et vous les renvoyez à nos chefs. C'est compris ? »

Chacun hoche religieusement la tête.

« Bon, c'est fini pour l'instant média. Pour ce qui est de la planque, on a pu avoir de jolis clichés des deux oiseaux qui font tapiner des jeunes filles, avec une adresse d'appart. Rien qui nous rapproche de notre victime de ce côté-là. La BRP creuse le sujet et nous tient au courant si quoi que ce soit remonte sur les écoutes ou les surveillances. Mais la journée n'a quand même pas servi à rien... Vous êtes tous au courant : Schwartz a été vu pendant une planque se rendant chez des escorts qui font partie du réseau pour lequel Anaïs aurait tapiné. La BRP a accepté de le laisser se barrer pour ne pas l'inquiéter. On va creuser là-dessus. La théorie du gentil prof qui sauve la jeune fille en détresse n'est pas totalement écartée, mais il faut quand même avouer que les récents événements nous amènent à la remettre en question. Vous avez entendu la façon dont j'ai parlé ? C'est exactement comme ça qu'il faudra s'adresser à Schwartz si la piste se creuse. Un professeur de la Sorbonne peut être influent, donc ne le froissons pas pour rien, surtout avec la presse qui nous tourne autour. Jean, Antoine, Hakim ? Vous avez du neuf ? »

Jean et Antoine ont passé leur journée de la veille à remettre la procédure en ordre. Hakim a continué à fouiner dans les affaires et le carnet de rendez-vous d'Anaïs. Mais aucun des trois n'a d'élément nouveau à apporter. Alors que Philippe s'apprête à organiser la journée avec son groupe, la boîte mail de Hakim émet un son discret. Accro à son écran, il consulte immédiatement le message, sous l'œil légèrement agacé du reste du groupe. Alors que Philippe s'apprête à prendre la parole, le brigadier lui coupe l'herbe sous le pied.

« On a reçu les fadettes* d'Anaïs. L'opérateur nous les a fournies hyper rapidement. Comme quoi, mettre "Homicide volontaire aggravé" en gras et souligné sur la réquisition, ça sert.

---

* Relevé détaillé des appels d'un téléphone mobile, transmis par les opérateurs.

– Tu te mets dessus juste après le speech des tauliers. On va essayer de trouver les clients un peu plus récurrents que les autres. Tu me remontes tout sur six mois. Si ça ne donne rien sur Mercure, tu me fais ça à l'ancienne... Avec un Stabilo. On ne sait jamais avec ce genre de logiciels. On ne laisse rien au hasard. Tu veux quelqu'un pour t'aider ? »

Hakim fait non de la tête, trop heureux de pouvoir passer sa journée à fouiner dans les relevés d'appels.

« Aline et Julien, vous allez aller faire un tour dans le quartier d'Anaïs. Je veux savoir si elle connaissait les commerçants, les voisins, un épicier... Jean et Antoine, la procédure, ça en est où ?

– On est à jour, il va juste falloir que tu rédiges ton PV de surveillance, chef », dit Jean d'un air rieur.

Philippe répond par un sourire.

« Vendu, une fois que les patrons ont fait leur speech, je me colle à la bécane. »

Le briefing est interrompu par l'arrivée de Gilles Brizard et Michel Graziani. C'est le chef de service qui prend la parole. Brizard, lui, reste derrière, les mains dans le dos et l'air grave.

« Madame, messieurs, je viens de recevoir un coup de fil du directeur. La presse s'empare de notre affaire et a décidé de faire frémir la ménagère. Qu'à cela ne tienne, nous avons l'habitude. Je tenais simplement à vous assurer de tout mon soutien. Il est hors de question que quelques caméras vous empêchent de vous donner à fond dans ce dossier. Je prendrai sur moi de répondre à toutes les sollicitations qui ne semblent pas farfelues. Si un journaliste vous contacte directement, renvoyez-le vers moi. J'espère que le message est passé. Maintenant, au travail. »

Graziani sort du bureau sans laisser aux enquêteurs le temps de piper mot. Brizard lui emboîte le pas.

Une fois le briefing terminé, chacun s'attelle à sa mission. Dans l'après-midi, Philippe Valmy entre dans le bureau de son ami et chef de section.

« C'était quoi, ce cirque, Gilles ? Débarquer en plein briefing comme ça, et se barrer sans même répondre aux questions ? »

Brizard esquisse un sourire.

« C'est la méthode Graziani. Bienvenue chez nous ! Tu as bien compris le message de soutien de notre chef, j'espère.

– J'ai surtout compris qu'il allait mettre sa trogne en première ligne médiatique, donc que si jamais on ne sort pas le dossier, c'est lui qui passera pour un branque. Et il aura du mal à pardonner. Je me trompe ?

– Ne te mets pas martel en tête, Philippe. Il a un abord très froid, mais il n'a jamais fait de coup fourré à ses gars en trente ans de carrière. Ce n'est pas aujourd'hui qu'il va commencer. Et puis, je suis là, je ne te planterai pas non plus. Allez, va bosser. Tes arrières sont couverts. »

Hakim fait irruption dans le bureau. Brizard se redresse sur sa chaise.

« Eh ben alors, Hakim… On ne vous a pas appris à frapper ? »

Le commissaire lève un sourcil. Hakim lui répond, essoufflé.

« Désolé, patron. Philippe ! Viens voir les relevés téléphoniques. On tient quelque chose. »

En une fraction de seconde, changement d'ambiance dans la pièce. Valmy et le chef de section emboîtent le pas à Hakim.

Le groupe entier est autour du bureau. Hakim prend la parole :

« J'ai épluché les relevés téléphoniques d'Anaïs. Ça fait trois heures que j'y suis. Comme Antoine m'avait filé le numéro de portable de Schwartz, j'ai comparé. Il apparaît sur les fadettes ! »

Antoine le coupe.

« Ben oui, il l'aidait à se sortir du trottoir. C'est pour ça que tu nous as fait venir ? Pas la peine de sonner les clairons. »

Philippe s'agace.

« Antoine, d'une, tu arrêtes avec tes expressions d'avant-guerre, et de deux, tu laisses Hakim finir, s'il te plaît. »

Hakim reprend, sourire aux lèvres.

« Je suis d'accord avec toi, Antoine. Sauf que là, il y a plusieurs séries d'appels et de SMS entre minuit et trois heures du matin, et ce au moins trois fois par semaine pendant deux mois. Pour moi, ça, c'est suspect. »

Philippe tape dans ses mains, satisfait.

« Beau boulot ! Il va falloir que tu m'expliques comment tu arrives à analyser ça si vite. Tu m'épates. Mais celui que je suis le plus impatient d'entendre, c'est Schwartz. J'ai bien relu ses auditions, et à aucun moment il ne dit qu'il appelait Anaïs tard le soir. Pourquoi il nous l'aurait caché ? »

Jean prend la parole.

« Peut-être qu'il avait honte. Pas facile d'assumer d'aller voir des filles de joie quand on est un universitaire émérite.

– D'accord, répond Julien, mais tout son numéro de bon samaritain qui veut la sortir du trottoir... C'est quoi ? »

Un silence de plusieurs secondes s'installe. C'est Aline qui le rompt.

« Il y a deux solutions : soit il a dit ça parce qu'il a honte et il a anticipé le fait qu'on retrouve son numéro sur les fadettes. Mais vu son côté Tryphon Tournesol, ça m'étonnerait. Soit il est devenu obsédé par Anaïs et ces coups de fil étaient dus à ça. Et, surtout, tout ce truc de la sortir du trottoir, c'est un monde qu'il s'est inventé de toutes pièces. Sa copine Julie ne m'a même pas parlé de lui. Elle ne devait pas être au courant. Ça confirmerait donc le fait qu'il vive un peu dans un monde où la vérité l'arrange. »

Antoine rétorque :

« Je penche plutôt pour la deuxième hypothèse. Dans ce cas-là, il faut aller l'interpeller tout de suite. »

Jean lance à Antoine un regard bienveillant.

« Calme-toi, Antoine. Pour l'instant, on n'a vraiment pas grand-chose contre lui. S'il chique, on va vite être à court d'arguments.

– Au temps pour moi, je suis fatigué. Tu as raison, Jean. »

Philippe est surpris de la réaction de son adjoint… Comme s'il avait vu la Vierge.

« Je suis plutôt d'accord avec la deuxième hypothèse aussi. N'oublions pas qu'on a vu Schwartz rentrer dans un immeuble où il y a un appartement de passes. Ça commence à faire beaucoup. Mais, pour l'instant, ce n'est qu'un faisceau de présomptions. On va fouiner un peu plus de ce côté-là.

Le chef de section s'exprime en dernier.

« D'accord avec toi, Philippe. Il n'est pas net, mais c'est trop tôt pour prendre la moindre décision. En revanche, je voudrais bien savoir s'il bornait dans le XIXe le soir des faits. Hakim… »

À peine la phrase terminée, le brigadier pianote sur Mercure et analyse les données des bornes autour du quartier de Rosa-Parks. Pendant les quelques minutes que prend l'ordinateur pour récupérer les informations, une chape de plomb s'abat sur le bureau.

« Bingo ! Son téléphone borne à vingt-trois heures vers Rosa-Parks. »

Brizard, comme monté sur ressorts, se dirige vers la porte.

« J'appelle le Parquet. »

## Chapitre 16

Quelques heures plus tard, Brizard rentre dans l'*open space*. Tout le groupe est suspendu à ses lèvres. Philippe lui coupe l'herbe sous le pied.

« Patron, dites-moi que vous avez obtenu une autorisation pour mettre Tournesol sur écoute... »

Philippe avait décidé de s'en tenir au vouvoiement avec son ami en présence de leurs troupes.

« Mieux que ça. Mesdames, messieurs, demain matin, on se lève tôt. Le Parquet veut placer Schwartz en garde à vue. »

Philippe peste.

« Non, mais c'est pas possible. On n'a pas de billes. Pendant la garde à vue, on n'a rien à lui opposer. On va se faire balader comme des débutants, là. »

Brizard tente de tempérer.

« Schwartz n'a jamais fait de GAV. Si c'est lui, il va craquer. Et puis, le Parquet estime que le mensonge, les appels tardifs

167

quelque temps avant le crime, le portable qui borne sur les lieux le soir même et le fait qu'il ait été vu allant voir des escorts pendant une surveillance sont des faisceaux de présomption qui justifient une mesure de garde à vue. Il faut bien avouer que ça tient la route. »

La nuit est tombée depuis longtemps sur Paris. Le bâtiment de la police judiciaire est presque vide. Seuls restent les policiers de permanence. Quelques gardes détenus scrutent les caméras des cellules, tuant le temps comme ils peuvent. Au sixième étage, Philippe et Jean sont encore en train d'étudier le peu qu'ils savent du professeur Schwartz. Grâce à un site de notation des enseignants, ils retrouvent des commentaires peu élogieux sur lui. Il aurait une tendance à flirter avec ses étudiantes.

Les yeux des deux flics sont rougis par la fatigue. Jean décrète qu'ils doivent faire une pause. Philippe acquiesce.

« Je vais aller nous chercher des hamburgers porte de Clichy, ça te dit ? »

Jean s'offusque.

« Hors de question que je bouffe ces trucs chimiques. On est partis pour une nuit blanche. On va aller grignoter un truc à la brasserie gare Saint-Lazare. De toute façon, on n'a rien sur le vieux. Ce ne sont pas deux heures de pause qui vont nous tuer. Tu crois pas, chef ?

– Vendu ! Je passe un coup de fil et j'arrive. »

Philippe fait les cent pas dans le couloir, son téléphone scotché à l'oreille.

La tonalité résonne dans ses tympans, puis le message automatique d'un répondeur. Élodie n'a jamais pris le temps de le personnaliser. Il lui laisse un message vocal. L'exercice n'est pas évident pour lui. On n'est jamais prêt à parler dans le vide. À chaque fois qu'il laisse un message pour convoquer un témoin, il y a un moment où il bredouille. C'est inévitable et il le sait. Il attend juste de trébucher, comme s'il avançait les yeux bandés sur une route pleine de nids-de-poule et qu'il ne savait pas quand il allait se casser la gueule.

Au dernier moment, il se ravise. Face au schéma chaotique de leur relation, il ne sait pas si l'envie de recoller les morceaux est bien là. Finalement, pourquoi ne pas laisser cette histoire s'évaporer ? Il en a conscience : le problème n'est pas sa stérilité, mais plutôt le fait qu'il ait eu peur d'en parler à sa femme. Comme s'il savait que, à partir de ce moment-là, il serait un poids dans sa vie.

Dans la voiture, Philippe conduit en silence vers Saint-Lazare. Dans sa poche, une vibration. Il déteste utiliser son téléphone au volant. Alors, il le tend à Jean.

« Tiens, tu peux me lire ce texto ? Ça doit être pour l'interpellation de demain. »

Le major prend le téléphone et s'exécute. Il reste silencieux quelques secondes.

« Bon, alors... Ça dit quoi ?

– Je pense que tu devrais le lire toi-même, Philippe. Je suis désolé. »

Philippe gare la voiture en warning sur un bateau et se saisit du téléphone. Sur l'écran, un message d'Élodie : « Je pense que l'on ne devrait plus se voir. J'ai donné le préavis de l'appartement. Dans un mois, on le rend. Je ne veux plus de toi dans ma vie. Adieu ».

# Chapitre 17

*Le 10 novembre 2018, 5 h 30*

À cinq heures trente du matin, la nuit est encore noire. Quand il arrive au sixième étage du Bastion, Julien a les joues rosies par le froid de novembre. En entrant dans l'*open space*, il trouve Philippe endormi sur un canapé. D'un léger coup sur la porte, il réveille son chef de groupe, qui pousse un grognement d'ours avant de se diriger vers la machine à café en lui faisant un léger signe de la main.

Quelques minutes plus tard, les membres du groupe fourmillent à l'étage de la brigade criminelle. Une ambiance feutrée règne dans les couloirs, éclairés par les seules lueurs des lampes de bureau. Le son continu des machines à café est entrecoupé par le bruit métallique des cartouches que l'on chambre. Gilets pare-balles harnachés au corps et armes à la ceinture, tous les membres du groupe Valmy se tiennent en cercle autour de leur chef. La consigne est donnée : l'inter-pellation devra se faire en douceur.

Le convoi de trois voitures file dans la pénombre du matin parisien. À l'heure où blanchit la campagne, la circulation dans la capitale n'est pas encore très dense. Le groupe ne met pas longtemps à arriver au pied d'un immeuble cossu de la rue de Vaugirard. En bas du bâtiment, les six policiers en civil se réunissent pour un ultime passage de consignes. Antoine a eu la présence d'esprit de demander, lors de l'audition de Schwartz, l'étage de son appartement et le code d'accès. Les enquêteurs s'engagent dans l'escalier en marbre recouvert d'un épais tapis rouge. Julien, porteur du bélier, se place devant la porte en bois, prêt à la faire voler en éclats. Philippe l'interrompt et sonne à la porte. Ne pas faire de raffut inutilement. Les policiers se répartissent de chaque côté de la porte. Sous l'embrasure apparaît une lumière jaunâtre. Il ne se doute de rien. La porte s'ouvre. Philippe et Julien entrent en force dans l'appartement, saisissent l'homme et le menottent. Sans ménagement. Dans sa robe de chambre en soie, les cheveux en bataille, Schwartz ne comprend pas ce qu'il se passe.

« Vous êtes seul chez vous, monsieur Schwartz ? lance Philippe, sèchement, pendant que les quatre autres membres du groupe se lancent dans une visite de l'appartement.

– Oui, je suis divorcé. Qu'est-ce qu'il se passe ?

– Vous êtes en garde à vue pour homicide aggravé sur la personne d'Anaïs Salignac. Vous avez le droit à un médecin, un avocat, et à faire prévenir votre employeur ou un membre de votre famille.

– Quoi ? Je ne comprends pas, messieurs.

– Laissez-moi finir. Vous avez le droit de répondre ou de ne pas répondre aux questions, de faire des déclarations spontanées ou de vous taire.

– Je peux m'asseoir, s'il vous plaît ?

– Bien sûr. »

Julien vérifie le fauteuil du salon. Une fois l'opération terminée, le professeur s'y écroule, les menottes aux poignets. Philippe s'assoit sur la table basse, face à lui.

« Enfin, monsieur, je vous informe que la mesure est d'une durée de vingt-quatre heures, renouvelable une fois.

– Commandant, expliquez-moi, s'il vous plaît, supplie Schwartz.

– Vous serez entendu au service. En attendant, on va perquisitionner votre appartement. Vous renoncez à vos droits ? »

Schwartz demande à être assisté d'un de ses amis, avocat au barreau de Paris, mais refuse d'être vu par un médecin ou de prévenir l'université, sans doute par peur du scandale. Sentant le professeur sous pression, Valmy en dit volontairement le moins possible et, d'un regard, enjoint à Julien de l'imiter. Le jeune policier détache la main droite du professeur afin que celui-ci signe le procès-verbal. Au même moment, Aline apparaît dans le salon.

« C'est clair, il est tout seul dans les murs. »

Tout au long de la perquisition, les policiers découvrent une paire de menottes, qu'ils placent sous scellés avec le téléphone, la tablette et l'ordinateur du professeur. Dans la table de chevet, les enquêteurs retrouvent de nombreux autres accessoires SM.

Le professeur, d'abord apeuré, se drape de plus en plus dans un semblant de dignité. Déroulant son carnet d'adresses au fil des tiroirs que retournent consciencieusement les policiers, il tente, par moments, de donner le nom d'un commissaire de police qu'il connaît et qui le sortira de ce mauvais pas. Philippe, agacé, prend l'agrégé à part dans le couloir.

« Écoutez-moi, professeur. On n'est pas là pour une histoire de voiture mal garée. Je ne suis pas sûr que vos relations vous sauvent. Est-ce que vous avez quoi que ce soit à me dire, avant que l'on démonte votre parquet point de Hongrie pour voir si l'on n'y trouve pas d'autres accessoires SM ?

– C'est ma vie privée, commandant. Et c'est quoi, ces éléments, au juste ?

– On a au moins vingt-quatre heures pour en discuter, professeur. Maintenant, si vous renoncez à user de votre droit de faire des déclarations qui nous intéressent, je vous conseille fortement d'user de celui de vous taire pendant que l'on travaille.

– Sous mon matelas, il y a d'autres accessoires. »

Philippe interpelle son adjoint.

« Antoine, t'as entendu ?

– Oui, viens voir. »

Dans une boîte noire, ils trouvent d'autres sex-toys aux formes étranges et une petite quantité de cocaïne. Le professeur se mure dans un profond silence pour le reste de la perquisition. Alors que les policiers repartent, Philippe pose un imperméable qui ne trompe pas grand monde sur les épaules de Schwartz afin d'éviter de le faire apparaître menotté en public. En passant dans le hall de l'immeuble, le rideau de la loge de la concierge s'entrouvre pour laisser apparaître un œil curieux.

En retournant au Bastion, le convoi de voitures, sirènes hurlantes, progresse difficilement dans la circulation parisienne.

Antoine et Philippe sont tout seuls dans le même véhicule.

« Il faudra aller voir la bignole, cet aprèm, Antoine.

– La quoi ?

– La concierge. Elle a maté par le rideau quand on est sortis. À mon avis, elle devrait pouvoir nous parler des allées et venues de l'immeuble.

– OK, j'irai avec Jean. Les concierges l'adorent. »

## Chapitre 18

*Le 10 novembre 2018, 9 h 00*

Le professeur Schwartz arrive au Bastion, à l'étage des gardes à vue. Lorsque la porte de sa cellule claque derrière lui, la caméra de surveillance prête ses yeux à Julien et Hakim qui scrutent la réaction du suspect. Il fait les cent pas, nerveux, incapable de s'asseoir. Il triture quelque chose. Le zoom indiscret de la caméra s'approche de ses mains. Dans un geste brusque et rapide, le suspect fait coulisser une paille dans la briquette de jus d'orange offerte de bonne grâce par l'administration. Un malaise inexplicable envahit les deux enquêteurs.

Bien que le bâtiment soit neuf, les murs se font déjà l'écho des toxicomanes en manque qui tambourinent sur les parois de leur cellule. Une atmosphère caractéristique émane de ces locaux blancs et aseptisés. Des femmes et des hommes captifs se dégage toujours une tension unique en son genre, indéfinissable. Une crampe au ventre. Comme si le mal-être qui règne dans ces couloirs aux lourdes portes vitrées s'immisçait en chacun, par tous les pores de sa peau.

Dans les minutes qui suivent, Valmy pénètre dans la salle d'attente du Bastion.

« Bonjour, maître. Commandant Valmy, de la brigade criminelle. Vous avez fait vite.

– Bonjour commandant, maître Carmona. Lorsque mes clients appellent, j'accours. C'est comme ça que mon cabinet tient debout. »

L'avocat est souriant et sympathique. Après une poignée de main cordiale, les deux hommes prennent le chemin des cellules.

Dans une pièce insonorisée, Schwartz et son avocat discutent, sous la surveillance d'un geôlier. Comme lors de chacun de ces entretiens confidentiels, les enquêteurs aimeraient se transformer en petite souris pour écouter ce qu'un suspect dit à son conseil.

Trente minutes plus tard, le professeur est installé sur une chaise inconfortable, face aux enquêteurs. Philippe se tient debout, adossé au mur, pendant qu'Antoine note les déclarations de Schwartz et pose la plupart des questions.

« Monsieur Schwartz, quels étaient vos rapports avec Anaïs Salignac ? »

Le professeur se retourne vers son avocat, que les enquêteurs ont installé derrière lui. D'un léger hochement de tête, le conseil lui enjoint de répondre aux questions.

« Je vous l'ai déjà dit, c'était mon étudiante. Je l'ai aidée à se sortir des mauvais coups dans lesquels elle s'était fourrée. Je ne sais pas quoi vous dire d'autre. Pourquoi je suis ici ? Qu'est-ce qu'il se passe, capitaine ?

– Pour le moment, contentez-vous de répondre aux questions, dit Antoine, froidement. Vous dites que vous l'aidiez à s'en sortir. Vous faisiez quoi, au juste ?

– Nous sommes allés plusieurs fois prendre un café, je l'ai assurée que si elle décidait de continuer ses études, j'allais l'aider. J'ai fait en sorte qu'elle obtienne sa licence au rattrapage en appuyant son dossier auprès du jury.

– Et vous ne lui avez jamais fait la moindre avance ?

– Pour qui me prenez-vous, monsieur ? »

Philippe s'approche du professeur, debout au-dessus de lui.

« Mon adjoint vous a déjà dit qu'ici c'est nous qui posions les questions.

– Répondez, monsieur.

– Non, je ne lui ai jamais fait la moindre avance. C'était une jeune fille intelligente, et je voulais la sortir de ces milieux ignobles.

– Quels milieux ?

– Eh bien, la prostitution, ces endroits pour le moins tendancieux où elle passait ses soirées.

– Des endroits tendancieux ? »

Schwartz déglutit et passe sa main dans ses cheveux.

« Oui, des clubs libertins, sadomaso. Elle m'en parlait quand on buvait des cafés ensemble. »

Après avoir noté la réponse de Schwartz, Antoine lève les doigts de son clavier. D'un geste lent, il retire ses lunettes et plante ses yeux dans ceux du suspect. Il laisse planer un silence qui tend encore plus l'atmosphère. Le professeur se tortille sur sa chaise, il ne se sent pas bien. Il n'a rien à quoi se raccrocher. Pas de décoration aux murs, pas de bibelots sur la table. Le néant autour de lui accentue son sentiment de solitude. Dans la pièce, personne ne parle. L'avocat ne prend plus de notes. Philippe reste adossé au mur. Antoine articule, doucement.

« Professeur, je vais vous poser une question, et vous allez devoir bien réfléchir à votre réponse. Où étiez-vous dans la nuit du 5 au 6 novembre 2018 ? »

La voix de Schwartz se fait chevrotante. Il retire ses lunettes et s'essuie les yeux. Il est à bout.

« Je ne comprends pas pourquoi vous me soupçonnez. Jamais je n'aurais pu lui faire du mal.

– Répondez à la question, s'il vous plaît.

– J'étais à un concert à la Philharmonie. Je suis reparti vers une heure après avoir bu un verre.

– Vous étiez seul ?

– Pendant le concert, oui. Après, j'ai pris un verre avec le violoncelliste. C'est un ami. Il m'avait invité.

– Vous avez encore le billet ? Vous nous donnerez aussi les coordonnées de votre ami pour qu'on vérifie

– Oui, j'ai reçu l'invitation par courriel. Et ses coordonnées sont dans mon répertoire. Il s'appelle Jules Goupil. »

Antoine propose un café au professeur, qui accepte. Philippe se dirige vers la machine. Profitant de ce temps de pause, Antoine ne quitte pas Schwartz des yeux. Pendant cinq longues minutes, les deux hommes se fixent. L'universitaire ne cille pas. Le flic non plus. Dans ce face-à-face, rien ne transparaît. Lorsque Valmy passe la porte, ils se scrutent toujours, sans savoir qui est le prédateur et qui est la proie. Antoine reprend :

« Connaissiez-vous les amies d'Anaïs ?

– Oui, il y avait une certaine Julie, elles étaient tout le temps ensemble. C'est elle qui est venue m'alerter pour que je la sorte de là.

– Et les parents de Cynthia, vous les connaissiez ?

– Non, vous savez, on ne connaît que très peu les parents de nos étudiants. »

Antoine repousse son clavier pour signifier au professeur que ce qui se dira ici sera hors procédure.

« Si on parlait de vos mœurs, monsieur ? On a retrouvé en perquisition beaucoup d'accessoires sadomaso. Ce sont des pratiques courantes chez vous ? »

Schwartz se redresse, recouvrant la dignité des gens de son rang.

« C'est ma vie privée, vous n'avez pas le droit de poser ces questions. »

Philippe intervient.

« Monsieur, une escort-girl a été assassinée, il s'avère qu'elle est l'une de vos étudiantes, et on retrouve chez vous des accessoires SM et de la poudre blanche qui, après avoir été testée, s'avère être de la cocaïne. Alors, oui, on a le droit de poser ces questions, monsieur.

– La cocaïne n'est pas à moi. Je ne sais pas ce qu'elle fait là. »

Il se tourne vers son avocat.

« Et puis, tout ça ne prouve rien, n'est-ce pas ? »

Antoine note laconiquement.

« Très bien, professeur. Nous allons arrêter l'audition ici. Je vous conseille de réfléchir à ce que vous avez dit. On se revoit cet après-midi. »

Schwartz relit et signe son procès-verbal, puis retourne dans sa cellule. Philippe raccompagne l'avocat et lui donne rendez-vous à vingt heures pour une nouvelle audition. Seul au bout du couloir, Antoine regarde marcher le professeur. Dans le pantalon en velours et la veste en tweed qu'il a passés à la hâte avant de quitter son domicile, il détonne complètement avec l'ambiance du lieu. Sa route croise celle d'un toxicomane qui le toise de haut en bas. Une fois que la porte de sa cellule se referme, Schwartz s'assied et tapote nerveusement du pied. Quelques minutes plus tard, les fonctionnaires de l'Identité judiciaire prennent ses empreintes digitales. Pendant l'opération, les mains de l'universitaire sont souillées d'encre. Il n'a d'autre solution que de les essuyer sur son pull en cachemire. Sur les photos anthropométriques, ses traits sont tirés. Malgré la fatigue, ses yeux brillent d'une lueur étrange.

Le commissaire Brizard a mis son téléphone sur haut-parleur. Antoine et Philippe sont réunis autour de lui. Après trois sonneries, le substitut du procureur décroche :

« Commissaire, j'espère que vous m'apportez de bonnes nouvelles.

– Nous avons interpellé Victor Schwartz, monsieur le substitut. Après perquisition, nous avons découvert un gramme de cocaïne et divers accessoires SM. Le téléphone, la tablette et l'ordinateur sont en cours d'exploitation.

– Et notre client, il est comment ?

– Là, monsieur le substitut, je vais laisser mes hommes répondre. »

Antoine prend la parole.

« Bonjour, monsieur. Je suis le capitaine Belfond. C'est moi qui ai procédé à l'audition. Pour le moment, il nie en bloc. On le laisse dérouler sa version. Mais il y a déjà pas mal de choses que l'on peut lui opposer.

– L'audition de chique*. C'est vieux comme le monde, mais on n'a jamais fait mieux. Il a demandé à être assisté, je suppose. Qui est son conseil ? »

Philippe intervient.

---

* Première audition au cours de laquelle les enquêteurs laissent la personne interrogée donner sa version des faits sans la contredire.

« Bonjour, monsieur le substitut. Je suis le commandant Valmy. C'est moi qui ai reçu l'avocat. C'est maître Carmona.

– Il est très bon. Il ne vous donne pas trop de fil à retordre ?

– Jusqu'ici, non. Nos rapports sont cordiaux. Évidemment, il a demandé à voir le dossier…

– Et il a fait allusion à la CEDH*, car il n'y a pas eu le droit, il fallait s'en douter. Ce n'est pas très grave… Et vous, commandant, comment sentez-vous notre suspect ?

– Je pense qu'il faut que l'on fasse faire une exploitation de ses appareils numériques par nos services techniques et qu'on le réentende. Mais il y a quelque chose qui cloche. C'est indescriptible, mais il nous met tous mal à l'aise. Je pense qu'il a un côté pervers, mais ça n'en fait pas un meurtrier. Nous avons prévu une autre audition à vingt heures.

– Ce que je vous propose, c'est qu'après la seconde audition, vous me le présentiez pour une prolongation de garde à vue.

– En visioconférence ?

– Non, je vais me déplacer. J'habite à côté de vos nouveaux locaux. Ça l'impressionnera

_____

* Cour européenne des droits de l'homme.

185

sûrement d'avoir un magistrat en face de lui. Bonne fin de journée, messieurs. Tenez-moi au courant. »

Schwartz est allongé dans sa cellule. Les yeux rivés au plafond, il n'a pas bougé d'un pouce depuis plusieurs heures. Les gravures de fortune laissées sur les murs par les anciens pensionnaires trompent son ennui. Il sent le temps s'égrainer. Lentement. À travers les vitres renforcées, la lumière du jour décline. Il se souvient de son service militaire. Jeune soixante-huitard, on l'avait mis aux arrêts lorsqu'il avait tenté de déserter pour rejoindre une communauté hippie dans les Vosges.

Valmy et le reste du groupe sont dans l'*open space*. Antoine débriefe l'audition de Schwartz. Les pièges qui lui ont été tendus ont fonctionné. Les résultats de l'exploitation téléphonique sont tombés. Hakim les présente au reste du groupe. L'Identité judiciaire a également envoyé les rapports d'analyse des scellés. Philippe se frotte les mains. La deuxième audition commence dans trente minutes.

Les plats préparés réservés aux personnes gardées à vue ont empesté la cellule tout entière. Il n'y a pas touché. Il repense à Cynthia, à ses nuits avec elle, à son corps. S'il avait su que leurs petits jeux l'emmèneraient jusqu'en cellule... La punition ultime. Toute cette humiliation lui plaît. Il a envie de descendre ses mains vers son bas-ventre, mais les caméras l'en empêchent. Il aime la saleté qui suinte par les parois, les odeurs pestilentielles et les hurlements des délinquants qui résonnent entre les murs. En revanche, hors de question qu'il aille en prison. Il faut qu'il s'en sorte. Ce qu'il aime, c'est son statut de notable, son bel appartement du XV$^e$, sa femme de ménage, ses soirées au Rotary. Et, à côté de ça, la crasse, les squats, jouer avec le feu, être puni. Un éclair de lucidité. Il se trouve vraiment tordu. Alors qu'il venait de se faire arrêter, il a été très excité par la fliquette qui lui a brièvement tenu le bras dans l'escalier quand il était menotté. Un bruit sourd. On frappe à la porte de sa cellule.

Deuxième round. Chacun est à sa place. Antoine et Philippe se sont changés. Ils sont propres, douchés. Ils dégagent une impression de fraîcheur. Schwartz, au contraire, se sent sale. Une odeur rance se dégage de son pull en cachemire. Une ambiance lourde règne dans la pièce. Philippe se tient derrière lui et prend la parole. Antoine note de façon mécanique. Le professeur doit se tenir de trois quarts sur sa chaise pour apercevoir Valmy.

« Vous maintenez ce que vous nous avez dit tout à l'heure, monsieur ?

– Oui, bien sûr. Je vous ai dit la vérité, messieurs. Peut-être un jour allez-vous arrêter de vous acharner sur des innocents.

– Vous n'avez jamais fait d'avances à Anaïs ?

– Non, jamais.

– Elle était pourtant plutôt jolie. Vous n'en avez jamais eu envie ?

– Mais enfin, c'est une prostituée. Je n'ai pas besoin de ça.

– Une prostituée ? Je pensais que vous la considériez comme votre étudiante. »

Schwartz répond sèchement

« Rien ne l'empêche d'être les deux, non ? Je ne comprends pas où vous voulez en venir.

– Vous savez si elle se prostituait sous un pseudo ?

– Non, je n'en sais rien. Et je ne veux pas le savoir. »

Philippe se penche sur le bureau. Il approche son visage de celui du suspect.

« Professeur, il va falloir nous dire la vérité. On a les relevés téléphoniques de la victime. Pendant trois mois, vous l'avez appelée plusieurs fois par semaine au milieu de la nuit. Comment vous l'expliquez ?

– Elle avait parfois besoin de parler. Alors, comme elle était insomniaque, je lui passais des coups de fil pour que l'on puisse discuter tranquillement. Ce n'est pas interdit par la loi, que je sache ?

– En exploitant votre téléphone portable, nos services techniques ont retrouvé des SMS que vous aviez effacés. Le 27 octobre, à minuit dix : "J'ai envie d'être puni. Viens vite. 500 €." Le 30 octobre, à une heure vingt : "T'as aimé ça cet après-midi ? Allez, viens à la maison. Sois nue sous ton manteau. 700 €." Le 1er novembre, à…

– C'est un montage. On a voulu me piéger. Peut-être que ses proxénètes ont voulu… »

Philippe le coupe.

« Professeur… Au début de l'audition, vous nous avez dit que vous ne connaissiez pas de "nom de scène" à Anaïs…

– Non, je ne sais rien de tout ça… »

Brusquement, Valmy hausse le ton et tourne autour de l'universitaire.

« Vous êtes en garde à vue pour un homicide volontaire aggravé. Il va falloir nous dire la vérité. Je pense que vous ne réalisez pas bien les conséquences. Vos mensonges ne vous mèneront nulle part. Lors de l'audition de ce matin, nous vous avons posé une question concernant les parents de "Cynthia", pourquoi n'avez-vous pas réagi ? »

Le professeur lève les yeux vers Valmy. Son regard est triste. Il se résigne.

« Commandant, vous ne ressemblez peut-être pas à Maigret, mais vous êtes un fin limier. Je ne peux pas me permettre de rendre publiques ce genre de relations avec l'une de mes étudiantes. Vous imaginez le scandale ? Mais ça ne fait pas de moi un meurtrier, si ? »

Antoine prend le relais.

« Et si on découvrait l'ADN d'Anaïs sur les menottes que l'on a retrouvées chez vous ?

– Nous avons souvent utilisé ces menottes lors de nos jeux, il n'y aurait rien d'anormal.

– Le problème, professeur, c'est que la forme des menottes correspond aux traces de contention trouvées sur son cadavre. »

Le professeur Schwartz reste silencieux. Philippe lui porte le coup de grâce.

« Professeur, le procureur de la République a décidé de prolonger votre garde à vue de vingt-quatre heures. Vous allez lui être présenté et passerez la nuit ici. Avez-vous des observations à formuler ? »

Schwartz reste groggy. Comme après avoir reçu un coup de poing. Il ouvre à peine la bouche pour répondre.

« Aucune, commandant.

– Très bien, nous allons mettre fin à l'audition. »

Devant le haut bâtiment de la police judiciaire, maître Carmona propose une cigarette à Valmy qui l'accepte.

« Vous y croyez, commandant ?

– Je ne peux rien vous dire, maître, vous le savez bien. Mais si votre client est dans nos murs, ce n'est pas pour rien. »

L'avocat plante ses yeux dans ceux du flic.

« Écoutez, je le connais bien. Il est tordu, prétentieux, un petit peu misogyne, mais je ne le vois pas faire une chose pareille. »

Valmy sourit tristement.

« On se doute rarement de ce genre de choses, maître.

– Mais vous voyez bien qu'il y a quelque chose qui cloche, non ? Les présomptions sont minces », insiste l'avocat.

Le flic efface son sourire.

« Maître, je vous vois demain matin à dix heures pour l'audition et l'entretien. »

Carmona serre la main de Philippe.

« À demain, commandant. Bon courage. La nuit va être courte. »

## Chapitre 19

*Le 10 novembre 2018, 22 h 45*

Une bougie fait vaciller sa flamme dans deux verres de vin rouge, diffusant un halo couleur carmin sur le vieux bois de la table basse. Affalé dans le canapé, Philippe regarde son ancien coéquipier s'activer dans la cuisine américaine avant qu'il ne vienne s'asseoir à ses côtés avec deux assiettes fumantes. Valmy mange mécaniquement, le regard dans le vide, avalant de grandes rasades de rouge entre deux bouchées. Louis rompt le silence, déjà allégé par un disque de jazz en sourdine.

« Ça fait plaisir d'avoir un pote à la maison, ça m'évite de me sentir seul. Mais tais-toi un peu, s'il te plaît. Tu es un vrai moulin à paroles. »

Philippe le regarde d'un air amusé.

« Excuse-moi, je pense à mon client d'aujourd'hui. »

En mangeant, Louis peine à articuler.

« Vous avez un type en GAV* ?

_____
\* Garde à vue.

– Un des professeurs de la victime. On s'est aperçu que c'était aussi son client.

– Décidément, on ne peut plus avoir confiance en l'Éducation nationale. C'est tout ce que vous avez contre le gus ?

– Non, tu nous prends pour des billes ou quoi ? Son portable borne près du lieu du crime, et en perquise on a retrouvé de la C et une paire de menottes qui correspondent aux marques de contention. »

Louis regarde Philippe d'un air admiratif.

« Ah, pas mal. Et en audition, tu l'aimes bien* ?

– Je ne sais pas, il y a un truc qui cloche. On n'a pas de preuves formelles, et il se défend comme un beau diable. Il s'est allongé sur les rapports sexuels avec la victime, mais ça ne prouve rien. Coucher avec une escort-girl ne mérite pas les assiettes**.

– Sinon on mettrait la moitié de la population au trou. Et sur son téléphone qui borne ?

– Ben, c'est là que le bât blesse. Il était à un concert à la Philharmonie le soir du meurtre, donc ça tient debout.

– Et ça borne à quelle heure ?

_____

\* « Tu l'aimes bien » : expression policière pour « Tu penses qu'il pourrait être coupable ? ».

\*\* Argot désignant un procès d'assises.

– Vers deux heures, mais le concert s'est terminé à minuit et il est allé boire des coups avec un musicien en face de la salle.

– Le zicos, il chante quoi ?

– Ben, il confirme qu'ils se sont séparés un peu avant deux heures.

– Et tu le sens comment ?

– Je te dis, je ne le vois pas mutiler une nana de la façon dont Anaïs l'a été. Un jeu sexuel qui tourne mal, oui. Ne pas appeler le Samu et larguer le macchab sur un terrain vague, pourquoi pas. Mais j'arrive pas à l'imaginer s'acharner comme ça... J'y crois pas, Louis.

– Pas évident, ton truc. Et le réseau que t'as filoché avec Hervé, ça en est où ?

– Le groupe de Hervé bosse dessus et nous communique des infos, mais c'est pareil. Y'a un truc qui nous échappe dans ce dossier. En revanche, c'est la filoche qui nous a permis de remonter le professeur et de nous intéresser à lui.

– D'après ce que j'ai entendu aujourd'hui, Hervé a eu vent par son tonton des méthodes des proxos. Ils sont plutôt clean avec leurs filles. Pas le genre à les dérouiller pour les attendrir.

– Ouais, le site Internet est assez pro. À mon avis, ce ne sont pas des abrutis. Ils profitent de la crise pour exploiter des gamines qui veulent se payer le dernier iPhone, mais ils n'ont pas l'air violents.

– Je ne sais pas si je suis rouillé, mais, dans ce dossier, on ne tombe que sur des pistes qui ne tiennent pas. »

Louis se sert une portion de pâtes gargantuesque.

« Les Cabarets te manquent ?

– Pas tant que ça, c'est plutôt agréable de retrouver mes réflexes d'enquêteur... Et puis, ça me permet de passer plus de temps avec Élodie. Enfin... Ça me permettait.

– Les choses vont s'arranger, non ?

– Je ne pense pas, elle a l'air décidée. Et, crois-moi, je suis passé maître dans l'art de la rupture amoureuse. »

Philippe le sait, tout espoir de recoller les morceaux est perdu. Pour la première fois, il ne se sent pas abattu par cette rupture. Les histoires qui se finissent trop vite ont jalonné sa vie, lui ont tanné le cuir. Aujourd'hui, le désespoir amoureux n'est plus d'actualité. Il a rejoint le clan des fatalistes, ceux pour qui les cœurs lourds et les larmes n'ont de place que chez les autres. Tout son être n'est maintenant consacré qu'à une chose : retrouver le meurtrier d'Anaïs.

Louis débarrasse la table, laissant Philippe regarder les reflets de la bougie dans son verre de vin rouge. Comme hypnotisé, il ne remarque son absence qu'au bout de quelques secondes, lorsqu'il l'entend chambrer une cartouche dans son arme. Son ami le regarde en souriant.

« Je sors voir un de mes indics. Tu veux que j'essaie de le brancher sur ton affaire pour voir s'il sait quelque chose ?

– C'est sympa, Louis, mais je vais plutôt venir avec toi. Un bol d'air frais me fera le plus grand bien, camarade. »

Philippe joint le geste à la parole et se lève pour enfiler sa veste.

« Ne pense pas que je ne veuille pas sortir aux bras d'un bel homme comme toi, Philippe, mais mon tonton est parano et il ne te connaît pas. Je préfère y aller seul. Et je te rappelle que demain matin tu dois être sur le pont. »

Vexé, Philippe grommelle un « D'accord, bonne soirée ». Une fois la porte claquée, il se saisit de son ordinateur portable et s'avachit dans le canapé. En quelques clics, il est sur venusescort.com. Il regarde, une à une, les photos des filles. Sur la deuxième page du site, il tombe sur le « profil » de son ancienne indic. Il clique. Son cœur s'accélère. Il se redresse. Sur la photo de la victime a été rajouté un bandeau « Indisponible ». Comment ont-ils su ?

*Le 10 novembre 2018, 23 h 00*

Cet hôtel est vraiment sublime. Les lustres, les canapés en velours, les concierges qui arborent fièrement des clés d'or sur leurs vestes... Cette ambiance feutrée, le bar qui sert des cocktails hors de prix... Je me laisserais bien tenter par un whisky. Mais je ne peux pas. Je dois rester en pleine possession de mes moyens. Là-haut, une de mes filles est en train de s'offrir à des types qui ont payé cher. Et comme tous les gens qui payent cher, ils vont se croire tout permis. Si je dois nettoyer, il va falloir que je sois au point. Je connais cet hôtel comme ma poche, rien ne m'échappera. Comme la dernière fois. N'empêche, s'ils remontent la piste... Heureusement, elle ne savait rien. Impossible à retracer. Et puis, les clients vont la fermer. Ils n'ont aucun intérêt à ce que ça se sache. Je tente de m'en convaincre.

Ça grouille autour de moi. Beaucoup de touristes chinois qui se prennent en selfie devant les dorures de l'hôtel. Je change de place histoire de ne pas apparaître en arrière-plan. Ce serait dommage de me faire avoir à cause d'un hashtag mal placé.

Je pense à la gamine que j'ai laissée monter. À peine vingt ans, quelle tristesse. Se laisser aller à de telles bassesses, si jeune. Ses yeux de biche et son corps encore ferme ont dû plaire à mes clients. J'imagine la scène qui se déroule dans la suite actuellement. Tous ces hommes plus vieux autour d'elle, offerte en proie. Je sens quelque chose en bas de mon ventre, mon pouls s'accélère. Je me déteste. Hors de question que je sois excité par cette petite traînée. Calmement, je me lève et me dirige vers les toilettes. Je vérifie que les cabines sont vides. Seul face au miroir, je m'assène quelques gifles et me colle un violent coup de poing dans le ventre. Associez l'excitation à des stimulus douloureux et elle disparaîtra. C'est ce que l'on m'a appris quand j'étais encore enfant. Je retourne m'asseoir et prends un billet de cinquante euros dans ma poche pour commander un deuxième Perrier rondelle. J'ai l'impression que le barman me dévisage. Aller m'asseoir hors de sa vue. On n'est jamais trop prudent.

Alors que je sirote tranquillement, la clochette de l'ascenseur se fait entendre.

Je tourne la tête et vois l'homme de tout à l'heure. Il se dirige vers moi d'un pas pressé. Je me lève. Il n'aura rien besoin de me dire. Je sais déjà ce qui se passe. Quelle bande d'abrutis. Je vais encore devoir me salir les mains.

Ils m'ont complètement salopé le boulot. Elle est couverte d'ecchymoses. Ils l'ont laissée nue, allongée dans cette suite de luxe. Son nez est tuméfié, elle a un œil au beurre noir. Ses lèvres sont gonflées par les gifles qu'elle a dû recevoir. Son corps est recouvert de marques de fouet. Ils l'ont abandonnée sans même un regard. Ces quelques hommes se sont payé une vie humaine. Ils l'ont laissée là, comme un gamin laisse traîner un jouet cassé. Leur homme de main m'a remis une enveloppe supplémentaire. L'argent n'a pas d'importance. La seule chose qui compte, c'est ça. Qu'elle soit démunie, étendue face à moi. À ma merci. Mes yeux s'attardent sur ses formes. Fermes, délicates. Sa peau doit être douce. Je me reprends en m'assénant une énorme claque. Les yeux mi-clos, elle me fixe. Je vois de la peur au plus profond de ses iris, et je sais que ce regard sera bientôt figé pour l'éternité. Je souris. Enfin, je pense que je souris. Une sensation bizarre m'envahit. Comme si mon esprit flottait au-dessus de la pièce, j'observe la scène de l'extérieur. Je dois ressembler à un dément, car son visage se crispe dans une grimace ignoble. Je la hais. Mes mains se posent sur son cou. À travers ses paupières boursouflées par les coups, des larmes se mettent à couler. Elle a compris. Pas question de laisser un témoin.

Merde, mes gants. Je la lâche, panique. Je l'ai touchée à mains nues. Erreur de débutant. Mon ADN n'est pas fiché, mais j'en ai forcément laissé sur son cou. Je prends une grande respiration et enfile une paire de gants en latex. Péniblement, elle se roule sur le côté du lit, laisse une trace de sang sur les draps. Ne bouge pas, je t'ai dit. Je saisis mon couteau. Il est temps d'en finir. Je la maintiens fermement. Enfin, mon office commence.

Je plante mes yeux dans les siens. La vie s'échappe de son corps, doucement. Son regard se pare d'un voile gris. Je ressens un soulagement plus fort qu'un orgasme. Comme si je me nourrissais de la vie qui la quitte.

Il est temps de passer à la mise en scène. J'appelle le room service et commande assez de nourriture pour un régiment. En attendant le groom, je lui taillade le ventre, consciencieusement. Une fois le travail terminé, on frappe doucement à la porte. Ambiance feutrée des grands hôtels. Je transforme ma voix. « Nous ne sommes pas habillés, laissez tout devant la porte. » Les pas du garçon d'étage s'éloignent. J'ouvre. Bingo, ils ont mis un chariot. Je vais pouvoir la cacher dessus. Heureusement, je les choisis toujours petites, ça me permet de mieux les dissimuler. J'arrive à la déplacer jusqu'au parking souterrain sans attirer l'attention, l'emmène jusqu'à ma voiture et la mets dans mon coffre. Coup de stress. L'adrénaline n'est jamais aussi forte qu'à ce moment-là. La portière claque. Enfin à l'abri, dans ma voiture. Je démarre le moteur et m'enfonce doucement dans la nuit.

# Chapitre 20

*Le 11 novembre 2018, 4 h 00*

Un flash d'appareil photo éclaire furtivement un amas de feuilles mortes. Tout le groupe est autour de la dépouille qui repose sur un tas de branches. Les flics pataugent dans la boue. Il est quatre heures du matin. Dans ce coin du bois de Boulogne, les travestis ont déjà débauché et les rares voitures qui passent accélèrent l'allure à la vue de la police dans l'allée. Seul le vent vient interrompre le ballet silencieux des enquêteurs qui relèvent les traces.

En s'enfonçant entre les arbres, Hakim et Julien avisent un campement de fortune à une centaine de mètres du corps. Une tente pour deux personnes est maintenue au sol par de grosses pierres et quelques fils à linge ont trouvé leur place entre deux églantiers. Les enquêteurs l'ouvrent avec précaution. Vide. Ils décident de s'enfoncer encore plus profondément dans le bois et découvrent un véritable petit village composé d'une dizaine de tentes couleur pastel. Hakim n'en croit pas ses yeux. En dehors des fils à linge, la disposition des habitations de fortune laisse penser à une organisation quasi militaire. Elles sont toutes espacées de deux mètres et leurs entrées se font face, de sorte que si un client venait à avoir envie de partir précipitamment, il ne pourrait éviter de passer devant les autres prostituées. D'épaisses cordes relient les piquets entre eux, créant autour du campement une frontière improvisée.

« T'as vu ça, Julien ? dit Hakim, les yeux ronds.

– Quoi ?

– C'est un vrai petit village, ici.

– C'est triste. Ils sont obligés de s'organiser comme ça, sinon ils se font dépouiller. Ils sont plus solidaires qu'on ne l'imagine.

– Comment tu sais tout ça ? demande Hakim, rieur.

– J'ai travaillé dans le XVIe avant, je te rappelle. Je connais le Bois comme ma poche.

– Et t'as pas un indic qui pourrait nous aider ?

– T'inquiète, je vais l'appeler dès demain matin. Si elle n'a pas changé de numéro... »

La nuit noire ajoute à l'ambiance sinistre. Prudemment, ils décident d'ouvrir chacune des fermetures éclair de ces abris de fortune. Les halos de leurs lampes éclairent furtivement les intérieurs, dont les sols sont jonchés de préservatifs usagés éparpillés autour d'un sac de couchage bon marché. Parfois, ils trouvent une chaussette ou une barrette oubliée par un client ou une prostituée. Sans vraiment oser le dire, Hakim se demande comment on peut réussir son affaire dans des conditions aussi glauques. Comme s'il lisait dans ses pensées, Julien dit : « Il y en a que ça excite, tu sais ? » Malgré ses dix ans de police, Hakim n'en finit jamais d'être étonné de ce qu'il voit.

Le bruit du vent alourdit encore l'atmosphère. Hakim peine à imaginer qu'il n'est qu'à quelques centaines de mètres des immeubles cossus de l'avenue de la Muette. Le périphérique joue une fois de plus son rôle de rideau noir, se dressant entre la misère et les gens ordinaires. Un craquement de branches les fait sursauter. Main sur leur arme, les deux policiers se rapprochent par réflexe. Dos à dos, leurs lampes torches pointent dans des directions opposées. C'est celle de Julien qui révèle une forme gracile entre deux arbres, à quelques mètres d'eux. Les bras levés vers le ciel, le travesti les regarde comme un lapin pris dans des phares. Les deux flics rangent leurs calibres et s'approchent. En marchant, Julien prend la parole.

« Bonjour, c'est la police judiciaire, on a quelques questions à te poser.

– Je n'ai pas mes papiers sur moi. »

Julien tente de la rassurer.

« On s'en fout de tes papiers, on veut juste discuter. »

Le visage recouvert d'une épaisse couche de maquillage se fend d'un sourire.

« Les flics généralement, ils veulent pas discuter. Ils veulent juste nous ramener pour racolage. Je connais, hein.

– Nous, c'est pas pareil. Comment tu t'appelles ?

– Rosa. Et toi ?

– Julien. Écoute, il s'est passé quelque chose dans le Bois ce soir. Tu bosses dans ce campement, toi ?

– Oui. Qu'est-ce qui s'est passé ?

– Et tu n'as rien remarqué de bizarre ?

– Qu'est-ce qui s'est passé ? Je veux savoir.

– On a retrouvé une fille morte. Alors je répète ma question, est-ce que tu as remarqué quelque chose de bizarre ? »

Rosa porte une main ornée d'ongles manucurés devant sa bouche.

« C'est qui ?

– On ne sait pas, mais on pense qu'elle ne travaillait pas dans le Bois. Alors ?

– Alors il y a bien eu une voiture qui est arrivée sur le chemin. D'habitude, les clients se garent sur l'avenue, ils ne vont pas jusqu'ici. »

Les deux flics échangent un bref regard. Hakim sort immédiatement son bloc-notes.

« C'était à quelle heure ?

– Je ne sais pas, je ne regarde pas l'heure quand je travaille. Ça me déprime.

– Et tu étais toute seule ?

– Oui, les autres filles sont parties tôt. C'était calme, ce soir.

– Elles sont parties à quelle heure ?

– Vers onze heures, je crois.

– Et la voiture, tu pourrais la reconnaître ?

– Non, j'ai juste vu les phares s'éteindre et j'ai entendu le moteur.

– Il est resté combien de temps ?

– Pas longtemps, deux minutes, peut-être. C'est pour ça que je me suis dit que ce n'était pas un client. »

Julien regarde Hakim, dépité.

« Bon, OK. Merci, Rosa. Tu vas repartir avec nous à la brigade criminelle, il faut que tu viennes donner ton témoignage, d'accord ? »

Accroupi près du corps, Jean articule exagérément dans son dictaphone :

« Victime d'environ vingt ans, corpulence mince, de type européen, cheveux longs, blonds. Déposée sur le flanc droit sur un tas de feuilles, le visage tourné vers le sol. Sur le dos, nombreuses contusions, lacérations fines pouvant laisser penser à des coups de fouet au niveau des fesses. Sur les chevilles et les poignets, marques de contention pouvant être dues à des menottes. »

Une fois la scène figée par le photographe de l'Identité judiciaire, Antoine et Jean entreprennent de retourner le corps, tandis que Philippe observe l'opération. Lorsque son visage se dévoile, les trois flics ont une légère grimace de dégoût.

Leur victime a le visage boursouflé. Elle semble avoir subi des heures de sévices. Jean reprend, tentant de rester professionnel.

« Le corps est retourné, le bas-ventre de la victime est lacéré de douze entailles superficielles. Ses seins sont marqués par des brûlures plus épaisses que celles causées par les cigarettes… Possiblement des cigares. La gorge est entaillée de façon précise, un filet de sang séché est visible au niveau de la carotide. Le visage est rouge et de nombreux coups semblent avoir été portés. L'œil gauche est gonflé, les lèvres également. »

Le major coupe son dictaphone et se rapproche de ses collègues.

« On est tous d'accord, je suppose ? »

Philippe hoche doucement la tête.

« C'est le même auteur, mais il est monté d'un cran. T'as vu comme il l'a tabassée ? C'est... »

Philippe est interrompu par le technicien de l'Identité judiciaire, qui se rapproche d'eux :

« Jean, j'ai quelques mégots jetés autour et des emballages de capotes. Ça t'intéresse ?

– On met tout sous scellé. On n'a rien à se mettre sous la dent, de toute façon. »

Antoine s'approche de son procédurier.

« Attends avant d'être défaitiste, on aura peut-être une piste à l'autopsie. »

Alors que les trois flics contemplent le corps en silence, Philippe pose une main amicale sur l'épaule de Jean.

« On va sortir ce dossier, au forceps s'il le faut, mais on va le sortir. Les pompes funèbres sont là, je vais aller signer les papiers et on rentre au 36. »

Dans le bureau qui sert de salle de réunion, le tableau blanc est rempli de photos de la nouvelle victime. Le groupe est au complet. À travers les immenses fenêtres, le jour naissant constelle le ciel gris de rayures jaune pâle. Assis en silence dans un coin de la pièce, le commissaire Brizard est venu assister au briefing pendant que son chef est dans le bureau du directeur de la police judiciaire, qui a décidé de suivre les investigations de près.

Une tension inhabituelle habite Philippe. Depuis ce matin, il n'a dit bonjour à personne, ou alors du bout des lèvres. Il a bu son café dans le silence de son bureau et n'a pas répondu au téléphone pendant deux heures. En attendant que ses deux ripeurs aient entendu Rosa, il a relu chacun des procès-verbaux pour trouver un indice, une piste qu'ils auraient loupée. En entrant dans l'*open space*, il porte sur lui les nombreuses nuits sans sommeil de son groupe, la douleur de la famille Salignac et, bientôt, celle des proches de la nouvelle victime, provisoirement nommée X femme.

« Bon, on ne va pas y aller par quatre chemins. Il y a trop de points communs pour qu'on ne lie pas les deux affaires. Le Parquet pense comme nous. À partir de maintenant, on bosse sous le numéro de procédure du dossier d'Anaïs. D'ailleurs, j'ai tout relu. J'ai cru que quelque chose nous avait échappé, pas du tout. Vous avez fait du super boulot jusqu'ici. Je vous résume la situation : on a les corps de deux gamines sur les bras, égorgées et mutilées de façon similaire, un suspect en garde à vue qui semble a priori innocent, puisqu'il n'aurait pas pu sortir discrètement de sa cellule, passer les sas de sécurité, déposer le macchab et revenir faire un gros dodo, bercé par les cris de ses colocataires. Je sais qu'on a tous ce mot sur le bout des lèvres, mais il est encore hors de question de parler de tueur en série. Même si ça pue franchement du bec, Antoine m'a très justement rappelé tout à l'heure que, pour être considéré comme sériel, un tueur doit avoir fait plus de trois victimes. Alors, on va s'en tenir à ce que disent les criminologues et essayer de ne pas laisser le temps à cette ordure de mériter cette appellation. Julien, Hakim, il chante quoi, votre témoin ?

– Pas grand-chose, il dit qu'il a vu une voiture se garer dans l'allée, juste à l'endroit où a été découvert le corps. Il était dans sa tente parce qu'il pleuvait à verse, donc personne d'autre dans le campement, ni prostituée, ni client. La caisse est restée deux minutes, n'a pas éteint son moteur et est repartie. Il n'a pas pu voir la silhouette parce que les phares l'éblouissaient. D'après lui, c'est un moteur normal, pas une bagnole de sport, ni une électrique. Donc peu de chance qu'on la retapisse sur les caméras, surtout qu'il est absolument incapable de nous donner l'heure exacte. Ça voudrait dire qu'il faut passer au fichier toutes les bagnoles qui sont passées devant les cinq caméras autour du Bois sur une durée de trois heures.

– C'est pas grave, il faut le faire. C'est tout ce qu'on a. Alors on s'y colle. Patron, on peut avoir des collègues d'un autre groupe en renfort ?

– Je vais voir ce que je peux faire, mais ça ne posera pas de problème. J'ai l'impression que le groupe Jouve vous jalouse le dossier. Ça ne devrait pas être difficile de le convaincre de mettre des gars à lui sur le coup.

– On va aussi comparer avec les caméras du périph le soir du premier crime, dit Jean. Ça va être un travail de fourmi, mais ça peut donner un truc.

– Sauf si le mec est malin et qu'il roule en bagnole de location », peste Antoine.

Philippe écarte les bras, impuissant.

« Eh bien, si c'est ça, on aura dépensé les deniers de l'administration pour fermer une porte, ça ne sera ni la première, ni la dernière fois. »

Aline prend la parole.

« Et, tu sais, Antoine, à la limite, si c'est de la location, c'est bon pour nous. Chaque fois qu'on a une voiture loc, on fait une réquisition au loueur et on obtient l'identité du conducteur. On peut le coincer comme ça, et de toute façon, c'est à peu près tout ce qu'on a. »

Hakim lève la main et dit timidement :

« Le seul moyen qu'il nous échappe, c'est qu'il ait loué via une appli entre particuliers. Là, c'est intraçable. »

Philippe soupire.

« Tu as raison, mais ça vaut le coup d'essayer. Alors, Julien, tu vas te coller à ces passages fichiers avec les collègues de renfort. Hakim, tu me fais les bornes téléphoniques autour des lieux du deuxième crime et tu les compares avec celles de la Villette. Aline, colle-toi sur les mineurs en fugue des cinq dernières années sur toute la France, histoire d'essayer d'identifier notre victime. Jean et Antoine, vous me mettez la procédure à jour. »

Il se tourne vers Brizard :

« Patron, vous avez eu le Parquet pour Schwartz ?

— J'ai laissé un message au procureur en lui demandant de me rappeler de toute urgence. Il est huit heures trente, à mon

215

avis, il ne devrait pas tarder. Sinon, je le rappelle dans dix minutes.

– OK. On met la machine en marche, je vais commander de quoi manger pour tout le monde. On a besoin de forces. Après, je vais commencer la fin de GAV de Schwartz. À mon avis, il va être remis dehors, autant prendre de l'avance. L'autopsie sera faite en urgence à onze heures, cette fois-ci, je vais y aller. On fait un point à midi. »

Une demi-heure plus tard, alors qu'il remonte avec des sacs pleins de barres de céréales et de viennoiseries, sur le palier Philippe croise Gilles Brizard qui l'interpelle :

« Tu viens dans mon bureau ?

– Je dépose les victuailles pour mes troupes, et j'arrive. »

Dans le bureau de son chef et ami, Philippe ne prend même pas le temps de s'asseoir. Il a les traits tirés, les cheveux en bataille malgré son costume impeccable.

« Deux choses : le Parquet vient de m'appeler, on met fin à la GAV de Schwartz immédiatement. Tu vas pouvoir appeler son baveux et monter le lui dire. Ensuite, je voulais te dire que je suis assez content de la façon dont tu bosses sur ce dossier. Tu commences à ressembler à un chef de groupe, Philippe. Mais ne te laisse pas déborder. Tu as une tronche à afficher sur un paquet de clopes. Essaie de te reposer un peu. Ça va, avec Élodie ?

– On vient de se séparer. Mais je n'ai vraiment pas le temps de faire la causette, là, Gilles. Je file m'occuper de Schwartz. À tout à l'heure. »

Sans même avoir le temps de répondre, Brizard regarde sortir son ami avec des yeux inquiets.

Une dizaine de minutes plus tard, Philippe arrive à l'étage des cellules, le procès-verbal de fin de garde à vue entre les mains. Les garde-détenus font sortir Schwartz de sa geôle. Une ombre de barbe assombrit son visage fatigué, au milieu duquel ses yeux sont voilés, dénués d'expression. Ses cheveux sont en bataille. Il se dégage de lui l'odeur caractéristique des cellules dans lesquelles se sont succédé des criminels, des toxicomanes, quelques innocents, certains à l'hygiène plus douteuse que d'autres. Comme tous les flics, Valmy reconnaîtrait ces effluves entre mille. L'haleine chargée de Schwartz vient lui caresser le nez de façon plus que désagréable.

« Mon avocat n'est pas là, commandant ?

– Il vous attend en bas, vous êtes libre, professeur. Nous allons vous faire signer votre fin de garde à vue. »

Les yeux de l'universitaire s'allument d'une lueur étrange.

« Comment ça ?

– Des éléments vous innocentent. Je ne peux pas vous en dire plus, à votre avocat non plus. Croyez bien que nous sommes désolés de cette méprise. »

Malgré son allure débraillée et sa fatigue, Schwartz retrouve l'énergie de monter sur ses grands chevaux.

« Une méprise, commandant ? Mais vous plaisantez ? Vous m'avez fait vivre un enfer, et je vous jure que j'irai jusqu'à la Cour européenne des droits de l'homme pour obtenir votre tête. »

Au moment où le flic s'apprête à répondre, un rire tonitruant s'échappe de la cellule voisine, occupée par un dealer habitué des lieux.

« Un enfer ? Mais tu rigoles, papy ? Ici, les gardes à vue, elles sont cinq étoiles. Et en plus, le keuf te parle bien. Alors, sors de là, sois content et surtout boucle-la, j'ai envie de continuer à dormir. Tocard. »

Amusé, Valmy raccompagne l'universitaire jusqu'à la porte du Bastion. Devant le bâtiment, l'avocat est adossé à sa berline, attendant son client. Par la vitre, Philippe regarde Schwartz s'éloigner. Au moment de rentrer dans la voiture de son conseil, le professeur se retourne et jette au flic un regard qui lui fait froid dans le dos.

## Chapitre 21

*Le 11 novembre 2018, 10 h 50*

Un vent glacial vient frapper le visage de Philippe. Sous ses yeux, les flots de la Seine fouettent les berges centenaires, éclaboussant la pierre de leur écume grisâtre. Dominant d'un seul coup les bruits de l'eau et des voitures qui s'engagent sur le quai de la Rapée, le cri strident du métro aérien siffle à l'oreille du flic. Il fixe l'Institut médico-légal, immense navire de béton, qui se dresse devant lui. Triste en été, morose en hiver, le bâtiment fait partie de ces rares lieux dont l'ambiance est immuable au fil des saisons. Ses murs, au milieu desquels résonne encore le désarroi des familles, sont à jamais marqués par la mort.

Après s'être présenté à l'accueil, Valmy se rend au sous-sol, dans le bureau du médecin légiste. Une femme d'une quarantaine d'années le reçoit. Elle est petite et souriante. Ses yeux bienveillants viennent immédiatement se planter dans ceux du flic.

« Bonjour. Vous devez être le commandant Valmy. Docteur Ingrid Ishiguro, c'est moi qui vais procéder à l'autopsie. Vous m'avez apporté la réquisition ? »

En lui remettant le document, Philippe tente de détendre l'atmosphère.

« Bonjour docteur, mon procédurier m'a beaucoup parlé de vous.

– Ce cher Jean, comment va-t-il ?

– Fatigué et débordé, comme nous tous.

– J'imagine. Je ne vais donc pas vous faire perdre plus de temps. D'après le dossier, votre X femme a été retrouvée dans le bois de Boulogne. Elle se prostituait ?

– C'est ce que l'on suppose, oui. On pense que c'est le même auteur que notre victime de la semaine dernière.

– À première vue, c'est plus que probable, en effet. Vos collègues de l'Identité judiciaire sont déjà en salle d'autopsie. Vous ne l'avez pas encore identifiée ?

– Ça ne saurait tarder, docteur... Pardon, je n'ai pas saisi votre nom.

– Ishiguro. Comme l'écrivain. C'est japonais. Ne vous inquiétez pas, tous vos collègues l'ont écorché au moins une fois sur leur procès-verbal.

– Je vais tâcher de ne pas vous faire cet affront, docteur.

– Nous verrons bien. »

Quelques minutes plus tard, Valmy a revêtu une blouse d'hôpital et une charlotte. Son bloc-notes en main, il attend patiemment au milieu d'une grande pièce carrelée, dans un silence d'église. La porte battante s'ouvre, laissant passer un immense brancard en inox sur lequel repose un corps recouvert d'un drap. L'assistant d'autopsie pousse le chariot jusqu'à ses pieds. En attendant le docteur Ishiguro, Philippe et lui se regardent en chiens de faïence après avoir échangé un bref salut de la tête. Le flic jauge l'homme qui se tient de l'autre côté de la dépouille. Il ne ressemble en rien à ceux que l'on pourrait imaginer accomplir ce genre d'office. Petit et sec, son visage est taillé à la serpe. Il a des cheveux filasse qu'il attache en catogan avant d'enfiler une paire de gants stériles. Ses yeux bleu glace semblent plutôt rieurs, bien qu'il passe ses journées à découper les morts. Il arbore en revanche une expression de gravité qui tranche avec son regard. Les années de police de Valmy ont beau lui avoir permis de sonder l'humain dans ses moindres détails, il demeure circonspect quant à celui qui se tient en face de lui. Il fait partie de ceux qu'il appelle les « savonnettes ». Sans même l'avoir entendu prononcer un mot, il sait que cet homme est insaisissable.

De légers bruits de pas le tirent de ses pensées. Ingrid Ishiguro rentre dans la salle d'autopsie.

« Commandant, je vois que vous avez fait la connaissance d'Eugène, mon assistant. Si vous le voulez bien, nous allons commencer. »

Le flic prend une grande inspiration et étale un petit peu de baume du tigre sous son nez avant d'enfiler une paire de gants. Seul le bourdonnement du système de ventilation trouble le silence absolu qui règne pendant que le médecin se prépare à l'examen de leur deuxième victime. Commence alors le ballet morbide de l'autopsie. Pendant que les techniciens de l'Identité judiciaire relèvent les traces et prennent en photo chaque angle de la jeune femme, le docteur parcourt le dossier. Puis, l'autopsie commence. En silence, la légiste et son assistant manipulent le corps, mesurent chaque blessure, examinent la moindre contusion. Avec minutie, ils passent au crible chaque centimètre carré de la peau de la victime, dans le but de dessiner le spectre du meurtrier. Au bout d'une demi-heure, Ingrid Ishiguro retire ses gants et son masque.

« Sans surprise, à l'examen externe, nous avons une plaie profonde à la carotide ayant entraîné une hémorragie qui aurait pu causer la mort. Sur le bas-ventre, des scarifications désorganisées, peu profondes. On dénombre trente-deux hématomes apparents. Le visage est tuméfié, les dents sont intactes, c'est presque un miracle vu ce qu'elle a subi. Sur les seins, des brûlures rondes d'un centimètre et demi de diamètre, probablement causées par un cigare. Celui qui a fait ça s'est acharné comme un beau diable. Rien que vous ne sachiez déjà, à mon avis. Jean a l'œil assez acéré pour vous avoir dit tout ça en voyant le cadavre. Allez, on va procéder à l'examen interne. Accrochez votre ceinture, commandant. C'est le moment où ça devient palpitant… »

Malgré le professionnalisme du docteur Ishiguro, Philippe ne se sent pas vraiment dans son élément. Depuis une heure, entouré par la mort, il sent un courant d'air froid s'immiscer à travers ses vêtements. En voyant le détachement avec lequel le médecin et son assistant manipulent le corps, il ne peut s'empêcher de ressentir de l'admiration pour ces techniciens du crime. Au moment où il détourne le regard, la jeune femme saisit un scalpel et procède à la première incision. À la recherche d'ecchymoses supplémentaires, elle trace de nombreuses crevées au niveau du dos, des bras, des jambes et du cou.

« Commandant, j'ai peut-être quelque chose pour vous. Vous voyez, là, au niveau du cou. »

Valmy s'approche en silence. Il tente de regarder les organes à vif en oubliant qu'il s'agissait encore d'une fille vivante il y a moins de vingt-quatre heures.

« Il y a ce que l'on appelle une zone ecchymotique. En gros, un hématome qui n'est pas apparu. Ça pourrait être causé par une tentative d'étranglement. Et, si je ne m'abuse, l'IJ a relevé une trace ici-même. »

L'homme de l'Identité judiciaire hoche la tête.

« Nous avons de superbes ADN de contact. On n'aura plus qu'à les passer au Fnaeg* et à prier pour que nos fichiers parlent. »

Une lueur d'espoir s'allume dans les yeux de Philippe. Le tueur a commis sa première erreur. Ishiguro continue l'examen par une analyse minutieuse de chacun des organes. Lorsque l'assistant prélève les différentes parties du corps de la victime pour les peser, Philippe a un haut-le-cœur. Il tente

---

* Fichier national automatisé des empreintes génétiques, créé en France en 1998.

de garder une contenance en ne regardant pas la scène et en respirant à l'intérieur de son masque. Mais lorsque Eugène se saisit d'une scie circulaire pour ouvrir la boîte crânienne de la victime, ses jambes faiblissent. Au grand dam de Philippe qui préférerait être n'importe où ailleurs, l'autopsie se termine par une analyse des voies respiratoires de celle dont il connaît maintenant l'aspect de chaque organe, mais qu'il appelle toujours X femme.

Une fois l'autopsie terminée, le docteur Ishiguro se lave les mains et invite Valmy à la suivre. Le flic est livide, assis sur une chaise en plastique dans le bureau de la légiste. Elle lui adresse un sourire compatissant.

« Vous n'êtes pas habitué, commandant ?

– Ça fait longtemps que je n'ai pas fait ça, je suis un bleu de la Crim'... Mais en un peu plus vieux.

– Vous vous en êtes bien tiré. Et je suis contente que vous soyez tombé sur moi. Certains de mes collègues sont un peu plus... potaches...

– Merci de m'avoir épargné les bizutages.

– Votre âge a joué pour vous, je vous croyais plus rodé. Vous pourrez vous vanter d'être passé entre les mailles du filet. Concernant votre victime, c'est bien ce que je pensais, la mort a été causée par une hémorragie externe suite à une section de la carotide. Au vu de la rigidité cadavérique, je peux dater la mort à hier entre minuit et une heure du matin. Pour ce qui est du bol alimentaire, elle a mangé en petite quantité et a vraisemblablement bu beaucoup d'alcool peu de temps avant son décès. Quant à l'arme du crime, elle est, sans surprise, du même type que pour votre victime précédente : un couteau très fin ou un scalpel. En tout cas, l'incision au niveau du cou est très précise. Ce qui m'étonne, en revanche, c'est que certains hématomes sont plus profonds que d'autres. Comme s'ils n'avaient pas été donnés avec la même intensité. Cela peut vouloir dire deux choses : soit ils étaient plusieurs et certains étaient moins costauds que d'autres, soit il est monté en puissance. Ce qui est sûr, commandant, c'est que vous avez un beau sadique sur les bras.

– Merci de toutes ces précisions, docteur. Quand puis-je avoir votre rapport ?

– Vous l'aurez d'ici demain matin. Et appelez-moi si vous avez besoin de quoi que ce soit. À bientôt, commandant.

– J'espère le plus tard possible dans une salle d'autopsie. Je ne manquerai pas de vous appeler. Au revoir, docteur. »

En sortant de l'Institut médico-légal, Valmy inspire une grande bouffée d'air frais. Jamais il n'avait pris autant de plaisir à humer les gaz d'échappement de la circulation parisienne. En rallumant son portable, il reçoit un SMS de Gilles Brizard : « Le Parquet vient d'ouvrir une information*. À partir de cet après-midi, tu agis dans le cadre d'une commission rogatoire. Passe me voir quand tu rentres au 36. » Quelques minutes après, un message de Jean apparaît sur son écran : « Rappelle-moi. Urgent. ID Victime OK. »

---

\* Information judiciaire : phase de la procédure pénale durant laquelle la direction des investigations est confiée à un juge d'instruction.

## Chapitre 22

*Le 11 novembre 2018, 13 h 00*

« Il faut encore que l'on confirme avec l'ADN, mais je pense que je tiens quelque chose. La victime pourrait être Clara Bourdoiseau, vingt ans. Elle a grandi à Bordeaux, d'où elle a fugué à seize ans. J'ai appelé les collègues sur place. J'attends la confirmation avant d'appeler la famille. »

Aline expose fièrement le résultat de ses recherches devant le groupe au grand complet. Chacun avale un sandwich en écoutant l'enquêtrice dresser le portrait de la victime.

« D'après le brigadier qui a géré son dossier à Bordeaux, elle est issue d'une famille bourgeoise, père avocat, mère cheffe de projet. Elle est partie de chez elle après une dispute à propos de son petit ami, un musicien qui se baladait dans toute la France pour faire la manche. Elle l'aurait suivi à Paris sans jamais avoir été retrouvée. En revanche, elle avait régulièrement sa sœur au téléphone. Je pense que, vu qu'ils la savaient en sécurité, les parents ont laissé couler jusqu'à sa majorité. »

Philippe intervient en mastiquant son jambon-beurre, s'attirant un regard désapprobateur d'Antoine.

« Beau travail, Aline. »

Jean prend la parole.

« Il faudra aller voir Dicton pour les ADN.

– Julien, tu pourras y aller ? Au fait, pourquoi Dicton ? »

Le procédurier prend un air facétieux.

« Je te conseille d'y aller toi-même, tu vas comprendre.

– On ira ensemble ce soir, alors. Avant de retourner au turbin, je vous informe au passage qu'à partir de quatorze heures, on travaille sur commission rogatoire. »

Antoine a l'air surpris.

« Déjà ? On n'a pas pu pleinement profiter du flag. Comment ça se fait ?

– Je vais demander au taulier, si tu veux. »

Jean grommelle.

« Pas la peine, j'ai déjà la réponse officieuse. L'avocat de Schwartz est monté au créneau, et le Parquet a dû se mettre en retrait. En attendant, maintenant, on a les coudées moins franches pour les perquisitions… »

Hakim tente de tempérer la grogne du major.

« Attends de savoir quel juge a été saisi avant de râler. Si on le connaît, ça sera plus facile. »

Philippe met fin au débat.

« Vous aurez la réponse dans quelques minutes. Je monte voir Brizard. »

Philippe et son ami font face à deux tasses de café fumantes. Assis dans un confortable fauteuil, Valmy sent la tension des derniers jours retomber lentement. Depuis près de quarante-huit heures, il ne s'est pas accordé plus de vingt minutes de repos, et son corps commence à le lui faire sentir. Sans le vouloir, il parle d'une voix fatiguée et lente.

« On a eu du nouveau à l'autopsie, Gilles. Et du lourd. L'IJ a trouvé des ADN de contact sur la victime. Autrement, d'après la légiste, il y a de fortes chances que ce soit le même bonhomme. Si c'est ça, on a intérêt à le choper rapidement. Sinon, il va continuer, c'est sûr. »

Le commissaire reste silencieux, s'enfonce dans son fauteuil et met ses mains jointes devant son visage.

« T'es quand même un génie, toi. À peine arrivé chez nous, tu te retrouves avec le dossier d'un tueur en puissance sur les bras. Ça fait dix ans que Jouve attend d'en avoir un, et c'est toi qui le ramasses.

– J'aurais largement préféré éviter, tu sais.

– C'est tout ce que tu as pour moi ?

– Non, on a aussi possiblement identifié la victime. Il faut encore que je confirme avec l'IJ. J'y vais dès que je sors. C'est Aline qui l'a remontée. Heureusement que j'ai un groupe qui tient la route.

– Justement, comment ça se passe avec Antoine ?

– Pour le moment, c'est cordial. Je ne vais pas te dire qu'on est devenus de bons copains, mais on arrive à bosser. Seulement, je ne te cache pas que je m'inquiète un petit peu pour lui. T'es sûr qu'il se sent à sa place en PJ ?

– Il adore l'investigation. Et on a besoin de tous les profils. Si on n'avait plus que des vieux briscards comme toi, la maison serait intenable, Philippe. Le salut se trouve dans l'équilibre, tu le sais comme moi.

– T'es un éternel optimiste, Gilles. »


Jean et Philippe longent un long couloir éclairé par des néons blancs. Après avoir déverrouillé une double porte avec leurs cartes, ils arrivent dans les couloirs de l'Identité judiciaire. Valmy regarde autour de lui, nostalgique. Les ordinateurs high-tech et les machines aux noms imprononçables ont fait entrer la police scientifique dans le XXIᵉ siècle. La dernière fois qu'il a mis les pieds dans les couloirs de l'IJ, c'était dans de vieux bâtiments collés au 36. Le carrelage années soixante-dix et les murs en bois donnaient aux lieux un aspect rustique qui tranchait déjà avec les techniques utilisées à l'époque, quand le fichage ADN en était à ses balbutiements. Aujourd'hui, le matériel utilisé n'a rien à envier à celui d'une série américaine, et le service régional d'identité judiciaire, devenu précurseur dans de nombreux domaines, est hébergé dans des locaux ultramodernes.

Le major frappe doucement à la porte d'un bureau dans lequel deux hommes s'affairent face à des scans d'empreintes digitales. Philippe tend une main amicale au technicien.

« Bonjour, collègue. Philippe Valmy, je suis nouveau chef de groupe à la Crim'. »

L'homme lui répond d'un accent chantant.

« Bonjour, major Patrick Champfrein. Je sais qui vous êtes, les dépêches vont vite chez nous.

– J'espère que je n'ai pas trop mauvaise réputation.

– De ce que j'en sais, vous n'avez pas mauvaise tresse. »

Philippe regarde Jean, qui tente de rester professionnel.

« Vous avez réussi à tirer quelque chose des ADN que vous avez relevés tout à l'heure ? »

Le technicien ouvre une fenêtre de son ordinateur.

« Malheureusement, commandant, aucun n'est fiché. En revanche, ce qui est sûr, c'est que votre gus n'y est pas allé avec le dos de la main morte. »

Jean met la main devant sa bouche et se met à rire dans sa barbe. Philippe, décontenancé, garde son sérieux.

« Et ils ne sont fichés nulle part ?

– Pas dans la section du Fnaeg dans laquelle j'ai le droit de chercher, en tout cas.

– Et la victime ? Vous avez pu comparer son ADN ?

– Ça, c'est une autre paire de chaussettes. Pour l'ADN, ça a matché. Elle a été enregistrée voilà deux ans comme complice dans une histoire de vol avec violences.

– On a remonté une Clara Bourdoiseau. C'est elle ?

– Ah, ben vous, on ne peut pas dire que vous passiez votre journée à gober les louches. »

Philippe se met à sourire. Au moment où il s'apprête à dire quelque chose, Jean lui met un coup de coude.

À peine sortis du couloir, Philippe peut enfin poser à son procédurier la question qui lui brûle les lèvres.

« Pas la peine de me dire pourquoi vous l'appelez Dicton, maintenant. Personne ne lui a jamais dit qu'il confondait toutes les expressions ?

– Pas que je sache. Le 36 est une maison discrète. La légende dit que, quand il est arrivé comme enquêteur il y a vingt-cinq ans, son chef de groupe a repéré son tic de langage. Pour le bizuter, il a demandé à tout son groupe de ne rien dire. Le mot est passé entre les collègues et, depuis, le secret est bien gardé. En dehors de sa verve un peu particulière, c'est un des meilleurs flics de l'IJ. Tu peux être sûr et certain que s'il y a un truc à trouver, il le trouvera. Un vrai chien de chasse.

– La PJ n'arrêtera jamais de me surprendre, dit Philippe en souriant. Bon, on a la confirmation que c'est la victime. J'envoie Aline et Antoine à Bordeaux pour aller voir la famille. Ensuite, tu iras faire une perquise à son dom avec Hakim et Julien. Moi, je vais relire la procédure en entier.

– OK pour la perquise, mais Aline et Antoine ont du mal à se piffrer. T'es sûr de toi ?

– Justement, ils vont peut-être avoir l'occasion de sympathiser. C'est une mission difficile. Ils vont devoir se serrer les coudes, ça ne leur fera pas de mal. »

Jean tape sur l'épaule de son chef de groupe.

« Le management à la Valmy... Tout un concept. »

Seul dans son bureau, Philippe se plonge dans les dossiers d'Anaïs et de Clara. Photo après photo, il tente de se mettre dans la peau du tueur, de comprendre la façon dont il raisonne. Il aimerait être dans un de ces films où les flics ferment les yeux et ont des intuitions qui les mènent au coupable en un claquement de doigts. Lui, Philippe Valmy, commandant de police, n'a ni pouvoirs magiques, ni flashbacks mystiques. Il passe simplement de longues heures à relire les mêmes lignes, à voir les mêmes photos immondes, cherchant désespérément à côté de quoi il serait passé lors du premier meurtre. L'erreur que son groupe et lui auraient faite et qui aurait permis à ce sadique de recommencer. Seul sous la lumière chaude de sa lampe de bureau, ses pensées s'évadent devant un procès-verbal. Il ne pense plus qu'à ces satanés résultats d'analyses. Il revoit les Salignac, leur désespoir. Il pense aux parents de Clara, qui dans quelques heures seront face à la même douleur. Il sent son ventre se serrer. À défaut de pouvoir avoir un enfant, il aimerait au moins pouvoir protéger ceux des autres.

## Chapitre 23

*Le 11 novembre 2018, 20 h 00*

Lorsque la voiture banalisée arrive dans la rue Oberkampf, la nuit est tombée depuis longtemps. Une légère bruine se dépose sur les vitres de la Peugeot 308 qui peine à se frayer un chemin entre les VTC garés en double file pour déposer de jeunes Parisiens dans des bars bondés. Malgré la pluie, une foule compacte se masse sur les trottoirs devant quelques restaurants branchés. Après une série de coups de klaxon nerveux, Jean se gare dans une ruelle en bas d'un immeuble moderne à la pierre encore immaculée.

La concierge leur ouvre la porte d'un air blasé, se demandant qui peuvent bien être ces trois gus qui viennent sonner à vingt heures.

« La loge est fermée. »

Jean exhibe sa carte tricolore et son plus beau sourire Colgate.

« Bonjour madame, brigade criminelle. On doit se rendre chez une de vos locataires. »

La concierge souffle bruyamment, insensible à la fonction de Jean, et encore plus à son sourire.

« C'est qui ?

– Clara Bourdoiseau, madame. Vous la connaissez ?

– La petite blonde du troisième. Bien sûr que je la connais, je fais le ménage chez elle une fois par semaine. Qu'est-ce que vous lui voulez ?

– Il lui est arrivé quelque chose de très grave, et on aimerait procéder à une perquisition. Vous avez ses clés ?

– Et vous, vous avez un mandat ? » demande la gardienne d'un air hautain.

Au même moment, les trois flics prennent un air encore plus exaspéré que celui qui a animé le visage de leur interlocutrice quelques secondes plus tôt. Jean lui explique le plus calmement possible.

« Les mandats de perquisition n'existent pas en France, madame. Nous agissons sur commission rogatoire d'un juge d'instruction. »

Il lui tend le document qui était dans sa serviette.

« La voilà. Vous voyez, tout est en règle. D'ailleurs, en parlant de règles, la loi nous oblige à requérir deux témoins pour les opérations, alors vous allez venir avec nous, et il nous faut quelqu'un d'autre. Vous connaissez un de ses voisins qui pourrait être présent ?

– Oui, il y a une petite dame qui habite à côté de chez elle. Je viens de la voir rentrer. Qu'est-ce qui lui est arrivé ?

– Parfait, elle va nous accompagner. Mademoiselle Bourdoiseau a été assassinée. »

En apprenant la nouvelle, les yeux de la concierge s'emplissent de tristesse. Elle l'aimait bien, sa petite blonde du troisième. Très vite, elle retrouve sa grisaille de façade et tente de se donner une contenance à l'aide d'une phrase creuse murmurée alors qu'elle lisse son tablier impeccablement repassé.

« Dans quel monde vit-on... »

L'appartement de Clara est petit et coquet. C'est exactement comme cela que l'on imaginerait le studio d'une jeune fille de vingt ans. La concierge et la voisine sont debout dans un coin de la pièce, assistant à la perquisition en silence. Méticuleusement, les trois flics inspectent chaque recoin du logement, ne laissant rien au hasard. Jean dirige les opérations.

« N'oubliez pas que la famille va venir chercher les affaires de Clara, donc faites en sorte de ne pas laisser trop de bordel. »

Hakim trouve un iPad dans la table de chevet. En vérifiant, il se rend compte qu'aucun code ne le protège. Clara semble moins prudente qu'Anaïs quant à sa vie privée. En survolant le contenu de la tablette, il retrouve rapidement quelques photos équivoques et une longue liste de contacts liée à un agenda en ligne.

« Jean, j'ai trouvé une tablette, et c'est du caviar. Faut l'exploiter, mais, à première vue, ça confirme que Clara était aussi escort. Vous avez un truc, vous ?

– Parfait, place-la sous scellé. De notre côté, pas grand-chose, à part un peu de coke et de la lingerie fine. On plie bagage. »

Après avoir apposé les scellés sur l'appartement de la victime, Jean remercie la concierge, qui reste aimable comme une porte de prison.

« Il va falloir que vous veniez signer le procès-verbal de perquisition au 36, mesdames. Je vous laisse ma carte. Appelez-moi demain matin pour que nous prenions rendez-vous. »

La gardienne souffle bruyamment son exaspération. La voisine, silencieuse depuis le début de la perquisition, adresse un grand sourire au major.

« Avec plaisir, si vous avez besoin de quoi que ce soit, je suis à votre disposition. »

En retournant à sa voiture, Jean se dit qu'il ne cessera jamais d'être surpris par les différentes réactions que provoque l'horreur quand elle arrive sans prévenir dans le monde bien rangé des gens ordinaires.

Assis dans un fauteuil club confortable, Philippe ferme les yeux et se laisse bercer par le brouhaha ambiant du bar. Un verre de Lagavulin seize ans d'âge dans la main droite, il ouvre doucement les yeux et les pose sur un groupe de jeunes femmes qui rient bruyamment. Lorsque le regard de l'une d'elles croise le sien, il se sent pris en faute et regarde nerveusement sa montre. Elles doivent avoir l'âge d'Élodie. En regardant leurs yeux ornés de très légères pattes d'oie, il revoit ceux de son ex-femme. En entendant leurs rires, il comprend que cela faisait longtemps qu'il ne l'amusait plus. Louis est en retard. Comme d'habitude. En prenant une gorgée de whisky, il sent l'alcool descendre doucement le long de sa gorge, provoquant en lui cette agréable brûlure qui le détend instantanément. Même s'il attend son ami, il se dit qu'il pourrait passer la nuit à regarder ces filles, il se sent irradié par leur bonne humeur. Allié à l'étourdissement provoqué par le single malt, ce sentiment de joie provoque en lui une plénitude qu'il pensait avoir oubliée. À côté de la porte, il pose son regard sur une jeune fille perchée sur de hauts talons qui regarde amoureusement un sexagénaire boudiné dans son costume. Au moment où son affaire revient insidieusement occuper son esprit, il avise la silhouette gauche de Louis qui passe le tourniquet de l'entrée.

« Dis donc, mon grand, on peut dire que tu n'es pas pressé par l'horaire, dit Philippe en embrassant son ami.

– Non, en effet. Je ne me presse plus, je suis trop vieux. »

Louis regarde le verre vide de Philippe.

« J'ai l'impression que tu ne m'as pas attendu.

– J'ai arrêté de perdre du temps, je suis trop vieux. Je t'en commande un ?

– Oui, mais ce soir c'est moi qui régale. Je viens de gagner 1 000 euros au tiercé, j'ai décidé de les investir pour redonner le sourire à mon pote. »

Philippe fait un signe discret au serveur. Louis s'installe dans le fauteuil face à lui et le regarde d'un air compatissant.

« Alors, ton macchabée d'hier ?

– Pour le moment, on n'avance pas trop mal, Aline a réussi à identifier la gamine.

– Aline la jolie brune ? »

Valmy regarde le verre que le serveur vient de déposer devant lui.

« Si on veut, oui. Mais il y a un truc qui me chiffonne dans ce dossier. Ça déroule plutôt pas mal... On avance bien, mais il y a un point qui me gêne... »

Louis est suspendu aux lèvres de son ami.

« Bon ben allez, accouche !

– Ben... Tu vas peut-être me prendre pour un taré, mais, pour moi, ce n'est pas l'œuvre d'un seul mec. »

Philippe s'avance vers son ami, comme pour lui dire un secret.

« À l'autopsie, la légiste a estimé que les hématomes n'étaient pas tous aussi profonds...

– Ben oui, ton mec a commencé à s'exciter et plus il avançait, plus il y mettait du cœur. Rien d'anormal...

– Et si ce n'était pas ça... J'ai peur que tu me prennes pour un taré, Louis, mais s'ils étaient plusieurs...

– Tu veux dire quoi ? Un réseau ? Ce n'est pas la piste que tu creuses avec Hervé ?

– Si, mais à mon avis celle-là est foireuse. On a vérifié, et notre deuxième victime n'est pas sur leur site Internet. Donc on n'a pas de lien. En revanche, un mec tout seul qui gère son cheptel...

– Tu veux dire que ça serait un mac qui zigouillerait ses filles une à une ? Ça ne tient pas debout. Pourquoi il ferait ça ? Et pourquoi il mettrait les crimes en scène ?

– Non, c'est pas ce que je veux dire, Louis. T'es né de la dernière pluie, ou quoi ? »

Louis prend un air vexé.

« Excuse-moi si je ne pense pas aussi vite qu'un fin limier de la Crim', mais je n'arrive pas à te suivre.

– Ben je suis en train de me demander si ce qui est arrivé à Clara n'est pas un accident, tu vois. On aurait un mec qui organise des soirées où les clients peuvent se défouler sur les nanas… Et elle se serait fait dérouiller un peu trop fort…

– Et le mac aurait maquillé ça en crime pour éviter les emmerdes. C'est très tordu, mais bougrement intelligent, comme dirait l'autre. »

Philippe baisse les yeux vers son verre, l'air déçu.

« Tu n'y crois pas ?

– Pourquoi pas, mais c'est quand même très flou, ton histoire. Tu connais la nuit parisienne comme moi. Si ces soirées existaient, on en aurait entendu parler. On ne manque tout de même pas de cousins dans ce milieu.

– T'as raison, peut-être que je m'emballe. Mais je vais quand même en toucher un mot à mon taulier demain. Il faut ouvrir toutes les portes... »

Louis pose la main sur l'épaule de Valmy.

« Ne fais pas cette connerie, Philippe. Là, t'arrives sans biscuit. Tu vas te faire renvoyer dans tes buts. Si tu y crois vraiment, creuse un peu la piste. Et si ça mord, tu pourras avancer sans risque. Tu veux que je me renseigne ?

– Discrètement, oui. Pas la peine de braquer les projecteurs sur l'affaire.

– Tu penses vraiment que je suis un bleu, Philippe ? Parce que tu vas finir par me vexer, là. »

Étourdi par l'alcool, Valmy sourit. Il repose son verre vide sur la table et en commande un troisième, puis un quatrième. Le niveau de la conversation baisse en même temps que celui de la bouteille de whisky que le serveur a finalement laissée sur la table. Pendant que Louis règle l'addition, Philippe attend au bar, quand l'une des jeunes femmes de la table d'à côté l'aborde.

« Mes copines ont parié que je n'oserais jamais vous offrir un verre. Ça vous dit de m'aider à les ridiculiser ? Je m'appelle Esther, et vous ? »

Il acquiesce en plongeant ses yeux dans les siens.

Dans le petit ascenseur, Philippe embrasse passionnément la jolie brune. En avançant vers son appartement, il ne pense plus à rien. Ses mains se perdent le long de ses courbes. Il enlève son manteau à la hâte et l'allonge sur le canapé. Pendant que sa main droite trouve insidieusement son chemin sous le pull en cachemire d'Esther, il sent monter une fougue qu'il pensait avoir perdue depuis longtemps. Sous la force des baisers de la jeune femme, tout disparaît l'espace d'un instant. Élodie, le travail et toutes les blessures du passé s'évanouissent peu à peu dans l'intensité de son désir.

# Chapitre 24

« Allô ?

– Valmy ? C'est Hervé, je te réveille ? »

Philippe se lève sans bruit et regarde les courbes d'Esther, endormie sous les draps.

« Oui, un peu. Il est sept heures du matin.

– Je suis désolé, Philippe, mais on a tapé nos gus de Vénusescort pendant une partie fine qu'ils organisaient dans la nuit. Les zonzons\* ont été fructueuses, et leur contact de Russie était avec eux. On a topé tout le monde. »

Valmy se frotte les yeux et tente de recouvrer ses esprits qui peinent à se remettre en place, gênés par le mal de crâne qui l'agresse sévèrement.

« Félicitations, Hervé. Tu veux que je demande la Légion d'honneur ?

– Mais que tu es grognon de bon matin… On va partir en perquise au domicile des deux affreux, je me disais que ça pourrait

---

\* Argot désignant les écoutes téléphoniques.

te plaire de venir ou de nous envoyer un de tes gars.

– Avec plaisir, vous décollez à quelle heure ?

– On est censés partir à neuf heures, il y a deux dom à faire, donc on monte deux équipes.

– Génial, je t'envoie mes ripeurs. S'il y a un truc à trouver, ils se démerderont pour le dénicher. C'est tout ?

– Pas tout à fait. Pendant la partouze, on a chopé un micheton avec un peu de came dans les fouilles. Du coup, on a un collègue un peu zélé qui a voulu faire une procédure incidente pour détention de stupéfiants. Et figure-toi que notre gus s'est mis à chanter des trucs sur des soirées un peu extrêmes où les filles se font torturer. Pas impossible qu'il affabule pour éviter les poursuites, mais on ne sait jamais. Je préfère t'en parler… »

Philippe a l'impression de recevoir un coup de fouet.

« J'arrive ! »

Lorsque Valmy démarre le moteur de sa voiture de fonction, Paris peine encore à ouvrir les yeux. La circulation est encore fluide. Le calme avant la tempête. Philippe se rend compte que sa chemise est imprégnée du mélange de sa sueur et du parfum sucré d'Esther. L'odeur de la culpabilité. Il se souvient de son premier mariage. Après deux ans de vie commune, son couple commençait à s'étioler. Il multipliait les planques et les rendez-vous nocturnes avec ses indics. Au début, il n'aimait pas ces absences nocturnes, loin de son foyer. Puis, petit à petit, il faisait exprès de rentrer le plus tard possible pour éviter les reproches de celle avec qui il partageait sa vie. Il se savait sur une pente glissante, mais n'avait pas envie d'en sortir. Rapidement, il était devenu le simple colocataire de son épouse, et ses planques nocturnes n'existaient plus que dans les coups de fil laconiques qu'il lui passait avant de sortir avec ses collègues.

Puis, un soir, il a noyé son désespoir entre les bras d'une inconnue. Plus tard, il a recommencé. La culpabilité qui le rongeait a fini par disparaître dans le tourbillon de tendresse dont l'entourait de manière superficielle chacune de ses conquêtes et que sa femme ne voulait plus lui offrir. Depuis Élodie, il n'avait jamais recommencé. Il se sentait plus sage, persuadé que ses années de chien fou étaient derrière lui. Le naturel est revenu au galop, à cheval sur une bouteille de whisky. Le bouclier qu'il s'était inventé a volé en éclats sous le poids de l'enquête et de sa rupture.

Quand l'ascenseur s'ouvre sur l'étage de la brigade de répression du proxénétisme, Hervé Durance l'accueille d'une poignée de main amicale.

« Bienvenue dans nos murs, amigo.

– Chaque fois que je reviens, ça me fait un pincement au cœur.

– Je savais bien que derrière cette façade de pierre se cachait un grand sentimental.

– On ne se refait pas, que veux-tu. Alors, ton micheton, il est où ? »

Son collègue lui fait signe de se taire.

« Il est juste là. »

Sur sa droite, un homme en costume-cravate est recroquevillé sur une chaise de la salle d'attente.

« Vous ne l'avez pas mis en geôle ?

– Disons que sa coopération lui a évité de faire l'objet d'une mesure trop coercitive. On ne l'a pas placé en garde à vue, il est encore là de son plein gré.

– Et il a passé la nuit ici ?

– On est revenus au service il y a trois heures, ce n'est pas encore le Goulag. »

Durance semble piqué au vif. Valmy décide de changer de sujet.

« Mes gars vont arriver à neuf heures pour la perquise. En attendant, tu me prêtes un bureau pour discuter avec le margoulin ? »

L'homme qui se tient voûté devant Philippe ressemble à tout le monde et à personne en même temps. Petit et maigre, il porte un costume mal taillé dont le gris un peu brillant fait ressortir les cernes de ses yeux. Face à la tasse de café fumant que Valmy lui a offerte, il ne lâche pas ses chaussures des yeux, estimant sans doute que c'est le meilleur moyen d'échapper à l'œil inquisiteur du flic qui tente en vain de saisir son regard. Amusé, Philippe ne peut s'empêcher de remarquer qu'il a l'attitude typique de celui qui se retrouve dans les bureaux de la BRP. L'endroit où les néons agressifs éclairent de façon brutale la misère qu'il fait le choix d'ignorer lorsqu'elle est habilement dissimulée derrière du mousseux tiède et des lumières tamisées. Depuis plusieurs heures, il a vu les filles qui l'entouraient pendant la partie fine défiler sous le regard protecteur des enquêteurs, qui les ont entendues l'une après l'autre pour étayer leur dossier et caractériser plus précisément encore les faits de proxénétisme dont il s'est rendu complice. En dehors de la pénombre, leurs visages juvéniles sont encore constellés de boutons d'acné à cause du maquillage cheap qu'elles utilisent pour les masquer. Leurs yeux sont tristes et cernés, comme si elles avaient perdu de vue la possibilité de consentir à ce que demandent leurs clients. À vingt ans, ces gamines en ont déjà trop vu. Et lui, Frédéric Bougon, représentant en produits pharmaceutiques à Épinal, a injecté de l'argent dans ce circuit de l'horreur. Il le sait. Et Philippe sait qu'il le sait.

« Monsieur Bougon, regardez-moi. »

Le ton ferme de Valmy fait sursauter l'homme, qui le regarde, silencieux.

« Écoutez, je n'ai pas de temps à perdre. Mon collègue m'a dit que vous aviez des choses à nous raconter. Je vous écoute.

– Je voudrais des garanties », dit Bougon timidement.

Valmy le regarde et pose ses mains sur le bureau, comme s'il s'apprêtait à lui sauter dessus.

« On vous a trouvé dans une orgie avec des prostituées mineures et de la cocaïne dans les poches. Vous n'avez même pas vu la couleur des murs d'une cellule. J'ai comme l'impression que l'on a été plutôt reconnaissants jusqu'ici. Pour ce qui est des poursuites, mes collègues parleront au Parquet, qui avisera. Mais demander des garanties dans votre position est la pire stratégie qui soit. Je vous écoute. »

Le quadragénaire regarde de nouveau ses chaussures et se met à parler doucement.

« Il y a un mois, je suis allé dans une fête, et mon ami avait appelé quelques filles… On s'amusait et… Enfin bref, je me suis retrouvé avec l'une d'elles. Pendant qu'on… j'ai vu qu'elle avait de grosses marques rouges dans le dos, alors je lui ai demandé ce que c'était. J'essaie toujours de m'intéresser à elles. D'habitude, elles ne me répondent pas… Mais, là, elle a commencé à pleurer. Elle m'a dit que j'étais gentil, que moi je n'étais pas comme d'autres. »

Philippe se penche vers l'homme. Il est suspendu à ses lèvres.

« Alors, je lui ai demandé de me dire de quoi elle parlait. Elle a commencé à me raconter qu'elle travaillait pour un homme qui organisait des soirées particulières.

– Elle ne vous a dit que ça ? »

Frédéric Bougon se met à pleurer.

« Non, elle m'a dit qu'elle était très bien payée, mais que les hommes avaient le droit de lui faire ce qu'ils voulaient. Il n'y avait pas de limites.

– C'est-à-dire ? C'était des soirées de domination ? Elle vous en a dit plus sur celui qui organisait ça ?

– Non, juste qu'elle avait peur, et que c'était un homme puissant, avec des relations. Je lui ai conseillé d'aller voir la police, mais elle m'a dit que ce n'était pas possible, qu'ils ne la protégeraient pas contre lui. »

Valmy regarde l'homme, sceptique.

« Monsieur Bougon, vous êtes en train d'affabuler pour vous sortir de votre mauvais pas ? »

Il pleure de plus belle.

« Non, bien sûr que non. Je veux bien répondre à toutes vos questions.

– Cette fille, vous ne savez rien d'autre sur elle ? Vous pouvez me la décrire ?

– Elle était blanche, elle avait une vingtaine d'années. Blonde. Très mince. »

Le sang de Philippe ne fait qu'un tour.

« Est-ce qu'elle avait un accent particulier ?

– Non, je pense qu'elle était française.

– Vous savez comment elle s'appelle ?

– Elle se faisait appeler Bianca. Mais je ne crois pas que cela soit son vrai nom.

– Bon, je vais vous montrer un site Internet, et vous allez me dire si elle est dessus. »

Philippe ouvre la page de Vénusescort et, via la fonction recherche du site, fait défiler toutes les photos de blondes caucasiennes. Pendant que Frédéric Bougon tente de reconnaître la jeune fille, le flic envoie discrètement un SMS à Jean : « Prépare-moi rapidement une planche photo avec la nouvelle victime et amène-la à la BRP. »

L'intuition de Philippe était la bonne. Bougon n'a reconnu aucune des filles du site. Jean, matinal comme à son habitude, arrive quelques minutes plus tard avec une feuille sur laquelle la photo d'identité de la victime est mélangée à celles de cinq autres fugueuses qui lui ressemblent. L'homme ne met pas plus d'une seconde à reconnaître la photo numéro 3, celle de Clara Bourdoiseau. Jean et Philippe se regardent longuement. Le procédurier décide de rester dans le bureau. Il sait que son chef va porter l'estocade à celui qui est assis en face de lui.

« Monsieur, la jeune fille que vous avez identifiée a été retrouvée morte il y a deux jours. Je vais être obligé de vous demander ce que vous faisiez dans la nuit de vendredi à samedi. »

Bougon accuse le coup et se prend la tête entre les mains. Sur son annulaire gauche, une alliance semble ne plus trop savoir ce qu'elle fait là.

« J'étais à Berlin pour un congrès. On essaie de lancer un nouveau médicament contre Alzheimer et on est allés le présenter à des médecins allemands. »

Jean intervient.

« Vous y étiez pendant le week-end ?

– Notre rendez-vous était le vendredi après-midi. J'ai décidé de passer la nuit là-bas et j'ai repris un vol le samedi à neuf heures. »

Philippe reprend le relais.

« Vous avez encore vos billets ? Quelqu'un peut confirmer que vous y étiez ? Vous avez fait quoi à Berlin vendredi soir ?

– Oui, j'ai encore mes billets. J'étais dans une maison close, seul.

– Très bien, vous allez rester avec nous le temps que l'on vérifie. Mon collègue va aussi vous soumettre à un prélèvement ADN. »

Jean revient avec une grande enveloppe argentée de laquelle il sort un kit de prélèvement. Un masque sur le visage, il enfonce un bâtonnet dans la bouche de l'homme, qui se laisse faire, puis dépose un peu de salive sur un papier de cellulose qu'il s'empresse de sceller et d'emporter à l'IJ. Une heure plus tard, Philippe a confirmé l'alibi de Frédéric Bougon avec la compagnie aérienne et couche ses déclarations sur procès-verbal. L'homme ne cesse de pleurer. Il a mis le nez de l'autre côté du rideau de la prostitution, là où les jolies filles se font trucider et où les hommes

laissent parler leurs pires instincts au prétexte qu'ils ont les moyens de s'offrir le
consentement d'une gamine à peine sortie
de l'adolescence.

En me réveillant, je m'entends pousser un cri abyssal. Je mets quelques minutes à comprendre que je suis dans ma chambre. J'allume la lampe de chevet et bois une gorgée d'eau. Elles étaient là, toutes. Cynthia, Bianca, Maman, celle que j'ai balancée dans la Seine et que l'on n'a jamais retrouvée. Elles m'entouraient, toutes vêtues de blanc. Elles me souriaient. Leurs blessures étaient visibles. Elles saignaient. La moiteur des draps me donne froid. Je me lève. Dans mon salon, les meubles semblent bouger. Je me sers un verre de vodka glacée et allume une bougie. La chaleur de la flamme et son mouvement continu m'apaisent, l'alcool me réchauffe d'un seul coup. Je sens mes muscles qui se contractent. La première gorgée me fait tourner la tête. Ces visages de femmes continuent leur macabre chorégraphie, l'un d'entre eux prend plus de place. Maman. Emportée brutalement. À force de gagner sa vie sur les trottoirs des Maréchaux et de s'en foutre plein les veines... Toute mon adolescence, j'ai vu défiler des travailleurs sociaux que ma mère envoyait paître. Moi, le garçon au regard triste, assis dans un coin de la cuisine. Tous les jours se succédaient ses amants, ses dealeurs, parfois les deux à la fois. Personne ne prêtait attention à moi. Quand un homme passait le pas de notre porte, il n'en voulait qu'à ma mère. À son fric ou à son corps. Vers la fin, elle ne fermait même plus la porte. Je passais mes journées à détourner le regard. Alors, un jour, elle a pris un shoot un peu trop fort. J'avais quinze ans et je passais déjà mes soirées dans les rues, entouré de toute cette racaille. Quand je l'ai vue perdre connaissance, j'ai saisi ma chance. Et cette fois-ci, ma chance a pris la forme d'un oreiller. J'ai pressé. Fort. Jusqu'à ce qu'elle ne respire plus. C'en était fini de la tapineuse des Maréchaux qui s'occupait mal de son gosse. À partir de là, j'ai tout géré tout seul. Je ne me suis jamais fait choper par les flics. J'ai tenu jusqu'à ma majorité à force de petits larcins. Sans jamais être trop gourmand. C'est ça qui m'a protégé. Le carnaval de mes angoisses m'explose le crâne.

Je tente de me raccrocher à quelque chose que je connais. Mon appartement est très impersonnel. Pas de photos aux murs ni de bibelots. Du coup, je détaille ma table basse. Alors que le goût du sang prend possession de ma bouche, je me demande de quel diamètre sont les pieds de cette foutue table. Malgré mes mains tremblantes, j'ai encore le souvenir du cou de cette fille sous la pulpe de mes doigts. La façon dont j'ai appuyé, son regard qui semble voir à travers moi, alors qu'une seconde plus tôt elle plantait ses yeux embués de larmes dans les miens. Je me ressers une rasade de Belvedere. J'ai un souvenir ému de la petite Clara. Elle ne se méfiait pas. Bien sûr, elle ne m'aimait pas. Quand je l'appelais, elle savait qu'elle ne passerait pas un bon moment. Mais elle avait confiance en moi, j'étais correct. Elle ne savait pas à quel point je la détestais. Elle a dû mourir sans comprendre, et c'est ce qui m'amuse le plus dans tout ça. Il est quatre heures du matin, je ne peux pas me coucher maintenant. Ma journée doit commencer. J'ai besoin d'un petit remontant. J'ouvre un livre dans ma bibliothèque et en sort un sachet de poudre blanche. L'effet est instantané, je suis réveillé et débarrassé de ma crise d'angoisse. Mon cauchemar est loin derrière moi. J'ai laissé toutes les filles de joie qui me hantaient tomber dans l'abysse de mes souvenirs. Je ressens un calme absolu. Rien ne peut m'atteindre. Dehors, la nuit est encore calme. Il est temps de sortir respirer le Paris que je préfère. Celui des traîne-lattes, celui que personne ne connaît. Entre trois et cinq heures du matin, les rues de la capitale appartiennent à ceux qui ne se couchent pas. L'air froid m'inspire. Hier soir, j'ai reçu une nouvelle demande. Mon fonds de commerce, c'est la noirceur de l'homme. Ils n'ont pas encore compris qu'ils ne s'arrêteraient jamais. Ils se sont déjà lassés de ce que je leur offre. Ils veulent plus, toujours plus. Je vais devoir redoubler d'imagination. Ils ignorent que ma limite est loin, bien loin devant la leur.

## Chapitre 25

« C'est la meilleure piste que l'on ait jusqu'ici, c'est inespéré », dit Jean, qui ne tient plus en place.

Philippe et son procédurier marchent d'un pas pressé vers le bureau du commissaire Graziani.

« Pour l'instant, on s'écrase et on vérifie. »

Jean arrête son chef de groupe et le fixe avec des yeux ronds.

« Tu plaisantes ? On va se prendre un nouveau coup de pression par le taulier, on a une super porte à ouvrir et tu veux qu'on s'écrase ?

– Jean, ce n'est pas à un vieux singe que je vais apprendre à faire la grimace. Je viens d'arriver à la Crim', j'ai deux cadavres sur les bras et j'ai déjà mis un notable innocent en garde à vue. À mon avis, certains ne veulent pas mon bien dans la boîte. Si ça se trouve, le micheton a exagéré les faits pour se décrocher de son gramme de coke. C'est minable, mais c'est possible. Un mec

ne pourrait pas organiser ce genre de soirées sans que cela se sache dans les milieux
SM parisiens. Je vais secouer mes tontons
ce soir et on verra ce qu'il en ressort.

– Je ne sais pas si c'est la bonne stratégie, Philippe. Et s'il en zigouille une autre
dans la nuit ?

– Justement, imagine qu'on rue dans les
brancards et qu'on mobilise des moyens
colossaux pour s'apercevoir qu'on s'est fait
enfumer. Et que, pendant ce temps-là, il y
ait une victime supplémentaire ? »

Valmy connaît ce genre de situation. Il
les déteste. Les arguments de Jean sont tout
aussi valables que les siens. Et le major est
têtu. Il ne lâchera pas l'affaire. Philippe va
devoir jouer son va-tout.

« Écoute, Jean. Fais-moi confiance, je
connais ce genre de milieux mieux que qui-
conque. On garde le procès-verbal sous le
coude le temps de vérifier ce qu'il raconte.
Et après on lance la machine. »

Jean a bien compris le message.

« Comme tu veux, c'est toi le chef. »

Devant le bureau du commissaire Graziani,
Valmy prend une grande inspiration. Pendant ces réunions, il doit composer avec
la pression, de laquelle les chefs de service
protègent habituellement leurs hommes. Il
sait que, en tant que commandant, il va

se retrouver entre le marteau et l'enclume, obligé de se prêter à un numéro d'équilibriste, entre les réalités du terrain et la volonté en haut lieu de régler une affaire qui, grâce à la presse, est déjà en train de devenir politique. Depuis une heure, les alertes info se relaient sur son smartphone. « Un serial killer s'en prend aux prostituées dans la capitale », « Tueur en série : l'ombre de Jack l'Éventreur plane sur Paris ». Autant de titres racoleurs qui ont le mérite de « faire du clic », comme on le dit dans les rédactions, mais qui sèment un vent de panique dans la population que le directeur de la police judiciaire et le préfet s'efforcent tant bien que mal d'apaiser. Jean, qui ressent la tension qui s'empare de son chef, lui pose une main amicale sur l'épaule.

« Ça va aller, Philippe. Tu verras, le taulier pourrait te surprendre. »

Valmy frappe à la porte et entre. Dans le vaste bureau, Hakim, Julien et le commissaire Brizard sont déjà installés dans le canapé club et les grands fauteuils. Graziani se tient debout, adossé à la fenêtre.

« On vous attendait, Valmy. Asseyez-vous, je n'ai pas de bonnes nouvelles.

– J'imagine bien, patron. Je reçois les alertes info comme vous. »

Le chef de service le regarde en souriant tristement.

« Le directeur et le service de communication arrivent peu ou prou à retenir les ardeurs de nos amis journalistes. Mais ce n'est malheureusement pas le seul souci.

– Je ne comprends pas, patron. Je pensais que vous alliez nous parler des pressions que vous subissez avec la presse. »

Graziani s'assoit et joint doucement ses doigts devant lui.

« Vous ne me connaissez sûrement pas encore très bien, Valmy. Je vous ai dit que j'ouvrais les parapluies, alors vous n'avez pas à vous soucier de ça. J'en prends la charge. Je ne vous cache pas qu'il s'agit d'un foutoir comme je n'en ai plus vu depuis de nombreuses années, mais jusqu'ici je m'en sors. Et, surtout, votre boulot, c'est d'enquêter, pas de faire de la relation-presse. Alors, non, je vous ai appelé parce qu'il y a eu un problème avec la famille de la victime. Antoine et Aline sont allés annoncer le décès hier soir et sont partis en laissant la mère seule chez elle. Le lendemain matin, elle a été retrouvée morte par son fils. Il s'agirait d'un suicide. »

Philippe accuse le coup.

« C'est relativement explicable, non ?

– Évidemment. Le problème, c'est que le fils a fait un signalement à l'IGPN. Apparemment, notre cher Antoine a été très administratif et peu psychologue...

– Ils n'ont pas laissé la mère avec un proche, comme c'est prévu ?

– Apparemment, elle aurait dit qu'elle allait passer la nuit chez son fils. Antoine et Aline sont partis dans la foulée. »

Philippe prend sa tête entre ses mains.

« C'est pas possible ! Vous pensez que ça ira loin ?

– J'ai eu l'IGPN au téléphone, apparemment il n'y a pas eu de manquement flagrant à la procédure. Votre adjoint s'en sortira sûrement avec un stage obligatoire à la cellule psychologique. »

Jean intervient.

« En même temps, ça ne lui fera pas de mal ! »

Le groupe rit dans sa barbe, même Graziani ne peut réprimer un rictus.

« Je vais faire comme si je n'avais rien entendu, Jean.

– Je vais passer un coup de fil à Aline et Antoine. Ils sont au courant ? s'inquiète Philippe.

– Pas encore, je vous laisse leur annoncer. Moi, je ferai tout pour les couvrir.

Pour l'instant, faites-moi un point sur vos avancées. »

Philippe résume l'affaire à son chef de service en omettant volontairement les révélations de l'homme qu'il vient de voir. Graziani se lève et fait les cent pas dans son bureau.

« Bon, ça pue le sériel votre histoire. Jean, vous le sentez comment ?

– On a clairement l'impression qu'il est en train de monter en puissance, et ce n'est pas rassurant. Par contre, on a quelques belles pistes à exploiter, sur la téléphonie et les caméras. Julien et Hakim, vous en êtes où ? »

Parce qu'ils ont passé la journée de la veille dans le même bureau à pester contre les milliers de numéros de téléphone ou de plaques d'immatriculation à vérifier, Julien peut répondre pour son collègue et lui.

« On débroussaille, mais pour l'instant on n'a pas grand-chose. Pour les caméras, on attend des retours de sociétés de location de voitures. Côté téléphonie, sans surprise, il y a beaucoup de téléphones prépayés qui bornent autour du bois de Boulogne. Et comme vous le savez, les vendeurs de ce genre d'appareils ne sont jamais très regardants sur l'administratif. Donc, si notre gus en utilise un, on a peu de chances de le remonter. »

Michel Graziani se frotte le menton. Ses années de jeune commissaire lui reviennent en mémoire. À l'époque où il était chef de section à la Crim', il a tenu les rênes d'une enquête qui le hante encore aujourd'hui. S'il n'a jamais été un truculent fêtard, la façade de glace qu'il arbore en permanence trouve ses racines dans les limbes de ce dossier trop lourd pour les épaules d'un jeune homme de vingt-sept ans. Les victimes avaient toutes le même profil. Âgées, seules et de milieu modeste. Le tueur leur volait quelques bijoux et un peu d'argent, mais il passait surtout de longues heures à les torturer. Lorsqu'il s'était trouvé face au premier corps de la longue série qui allait le poursuivre, le jeune commissaire Graziani avait soudain eu l'impression que son costume était bien trop large pour lui. En voyant le visage tordu de douleur et tuméfié de la femme de quatre-vingts ans, il avait compris l'ampleur de ses nouvelles responsabilités. Pendant ses années à l'école des commissaires de police de Saint-Cyr au Mont-d'Or, il avait reçu des cours théoriques, participé à des ateliers de simulation. Il avait bu les paroles d'intervenants aux carrières impressionnantes qui, devant un parterre de futurs policiers avides de savoir, venaient dévoiler une partie de leur histoire et de leurs cicatrices. Le plus souvent, ils s'exprimaient avec une froideur et une distance que le jeune Michel trouvait impressionnantes. Il se sentait incapable de réussir, à ce point, à cacher ses émotions. Le futur lui donnerait tort. Mais parfois, dans les mots de ces psychiatres, de ces criminologues ou même de certains agents du FBI, un léger trémolo dans la voix se faisait sentir. Un silence plus long que les autres, leur regard qui se perdait vers le fond de l'amphithéâtre, comme si la porte d'entrée était un écran sur lequel apparaissaient le visage d'une victime, les larmes d'un père ou le sourire d'un tueur. C'étaient ces moments-là qui effrayaient Graziani. Ces fenêtres de vulnérabilité qui s'ouvraient sans prévenir.

Après de longs mois d'enquête, le tueur de vieilles dames a été arrêté. Pendant les vingt-quatre premières heures de garde à vue, il n'a rien lâché. Chaque fois que les enquêteurs le sortaient de sa cellule, il hurlait et se débattait comme un beau diable. Ils étaient parfois obligés de s'y mettre à trois pour l'emmener dans un bureau en le traînant dans un couloir. Le chef de groupe de l'époque, du haut de ses trente ans d'expérience, n'avait jamais vu une telle violence. Comme si le corps de ce type se nourrissait d'une haine qui lui donnait l'énergie de résister aux poignes viriles des flics de la Crim' et à l'enfermement dans une cellule crasseuse. Vu la force qu'il déployait face à trois policiers entraînés, on ne pouvait qu'imaginer avec horreur le sort qu'il avait fait subir à ses victimes âgées et vulnérables. Après la première nuit de garde à vue, le chef de groupe était allé voir Graziani. « Patron, je n'ai jamais vu un type pareil. Il est tellement violent et, à côté de ça, si imbu de lui-même... Je voudrais tenter le coup de la moquette. » Le jeune commissaire le redoutait, mais il savait que c'était la bonne solution. Le « coup de la moquette » consiste à faire interroger le suspect par un commissaire dans un beau bureau pour qu'il se sente important et, par maladresse, se mette à baisser sa garde. Au bout d'un étroit couloir du 36, le jeune Michel Graziani, assis derrière son bureau, a entendu des hurlements qui faisaient froid dans le dos, des coups sourds sur les murs, entremêlés de voix qui se chevauchaient. Il a fermé les yeux et a pris de grandes inspirations. Au fur et à mesure que les cris se rapprochaient, il se disait qu'il voulait disparaître. Puis, les visages des victimes lui sont revenus en mémoire. Pas question pour lui de se défiler. Pendant trois ans, il avait travaillé son flegme pour ne rien laisser paraître.

Quand le tueur est arrivé dans son bureau et s'est assis devant lui, fermement maintenu par un procédurier rugbyman, le commissaire a planté ses yeux dans ceux de l'homme. Il n'y a vu que du vide. Il s'imaginait qu'un type comme ça aurait une étincelle de sadisme au fond de l'iris, comme Hannibal Lecter. Mais rien. Graziani est tombé dans un vide abyssal. Il n'a pas cillé et a soutenu son regard pendant ce qui devait être une trentaine de secondes, mais qui lui a semblé durer des heures. Un silence absolu régnait dans le bureau, seulement rompu par les halètements du tueur, fatigué par sa énième lutte contre les enquêteurs. Le commissaire a ouvert le dossier sans quitter du regard le type assis face à lui, puis a étalé sous son nez les photos des victimes. L'homme les a regardées, puis a fermé les yeux. Un rictus s'est dessiné sur son visage. Il semblait revivre ses crimes. Le flic n'a pas flanché et a continué à le fixer. Quand l'homme a rouvert les paupières, Graziani a pris une énorme claque. Comme si le tueur s'était nourri de ses souvenirs pour développer une force psychologique prompte à phagocyter le jeune commissaire. Pour la première fois, il a parlé doucement, sans hurler ni insulter qui que ce soit.

« J'aurais préféré que ce soit ta mère. »

Cette simple provocation est venue frapper Graziani de plein fouet. Ses yeux se sont remplis de peur. Il avait perdu son duel. Le tueur avait réussi à pénétrer sa sphère intime pour le blesser au plus profond de son être. Le commissaire est sorti pour passer ses nerfs sur la porte d'une armoire électrique. Les poings en sang, il est allé se faire soigner. Jean venait d'arriver à la Crim' et c'est lui qui l'a emmené à l'hôpital. L'homme n'a jamais offert aux familles des victimes l'ultime soulagement que procurent des aveux, mais a été condamné à la prison à perpétuité. Il est mort peu de temps après. La porte de l'armoire électrique a été remplacée, et le commissaire Michel Graziani n'a plus jamais dit un mot plus haut que l'autre. Son armure ne s'est plus brisée depuis vingt-cinq ans. Jean et lui n'en ont jamais reparlé, et, les années aidant, cette histoire n'est plus qu'une anecdote murmurée discrètement dans les couloirs du 36.

Perdu dans ses souvenir, le patron de la Crim' est brusquement ramené à lui par la voix grave de Valmy.

« On fait quoi, patron ?

– Comme tout le temps à la Crim', Philippe. Vous allez continuer à secouer l'arbre jusqu'à ce qu'il en tombe quelque chose. Si vous avez besoin de quoi que ce soit, ma porte est ouverte. Vous pouvez disposer. »

# Chapitre 26

Le brouhaha ambiant fait tourner la tête de Valmy. Assis sur un tabouret de bar, comme hypnotisé par le serveur en smoking qui prépare des cocktails à toute vitesse, il se refait le film de sa journée. Ce type tombé du ciel grâce à qui l'enquête avance subitement, le commissaire Graziani qui lui annonce que deux des membres de son groupe vont faire l'objet d'une enquête administrative. Philippe les a appelés, chacun, quand ils étaient rentrés chez eux. Au début, Antoine est monté sur ses grands chevaux, jurant qu'il allait saisir les syndicats, que l'on ne pouvait pas entacher son dossier comme ça. Puis, les minutes s'égrenant, sa gorge s'est serrée, et, pour la première fois, il a montré une faille : il s'est mis à sangloter, avec Philippe au bout du fil. Il ne comprenait pas comment il avait pu ne pas le voir, ne pas sentir que la mère de famille ne supporterait pas la nouvelle. D'habitude, il prétexte toujours d'aller aux toilettes pour voir dans la salle de bains s'il n'y a pas d'antidépresseurs. Il cherche toujours à établir le profil psychologique de la personne qui se trouve face à lui. Cette fois-ci, il est passé à côté.

Quand il a eu Aline au bout du fil, elle est restée très froide, sans passion. Lui qui se disait que son adjoint serait le plus distant des deux... En raccrochant le téléphone, Philippe se dit que, malgré les apparences, il tient un groupe solide. Aline et Antoine ne peuvent peut-être pas se voir en peinture, mais aucun des deux n'a jeté la pierre à l'autre. Au contraire, chacun assumait ses torts, voire un peu plus. Valmy se sent rassuré, seul face à sa pinte. Ses troupes passeront l'épreuve de l'IGPN les doigts dans le nez.

Dehors, il pleut des hallebardes, et les clients qui rentrent encore dans ce bar huppé du XVIe arrondissement sont ruisselants. Un fond de jazz achève de réchauffer l'atmosphère. La gorgée de bière fraîche le fait frissonner. Son verre fini, il décide de commander un whisky au serveur-magicien. Élodie lui revient en tête. Il opte pour un double. Son verre en main, il pivote sur son tabouret et pose ses yeux sur une jolie blonde assise dans un fauteuil club.

*Le 12 novembre 2018, 21 h 30*

Elle serait parfaite. Cela fait un quart d'heure que je l'observe en sirotant mon Perrier. Avec ses airs de ne pas y toucher, je suis sûr qu'elle est là pour se vendre. À la table d'à côté, quelques hommes d'affaires se font des messes basses en ne la lâchant pas des yeux. Elle leur adresse une moue amusée. Je dois l'aborder avant qu'ils ne le fassent. Je me lève et m'approche d'elle. Elle me mate avec des yeux qui pétillent. Je m'assois dans le fauteuil à côté du sien. Du coin de l'œil, je regarde les trois hommes se mordre les doigts. J'ai été plus rapide. À peu de choses près, elle échappait à mes griffes. Je l'aborde doucement, avec élégance. Au bout d'une ou deux minutes de conversations, elle m'annonce un tarif : 300 euros pour une heure. J'accepte avec le sourire, me dépêche d'aller à la réception pour prendre une chambre, et nous montons tous les deux.

Je dois résister à cette envie fulgurante de serrer mes mains autour de sa gorge. Dans l'ascenseur, je la détaille : brune, un mètre soixante, ses seins sont assez gros, mais sa taille très fine. Elle a de jolis yeux ronds, un visage constellé de taches de rousseur, et, au hasard de sa jupe qu'elle fait discrètement remonter le long de ses cuisses, je vois un tatouage. Je panique. Rien de plus facile que d'identifier un corps tatoué. Mimant un intérêt charnel, j'attarde mon regard sur le dessin. Un attrape-rêves. L'un des tatouages les plus à la mode des dix dernières années. Elle a failli s'en tirer, il n'en sera rien. Je voudrais bien voir les flics de la Crim' aux prises avec un tatouage qui a été fait des milliers de fois sur les peaux de jeunes Françaises qui lui ressemblent toutes. En plus, la plupart des salons ne relèvent pas l'identité complète de leurs clients et n'acceptent que les paiements en liquide. Un casse-tête pour les enquêteurs, du pain béni pour moi. Ce matin, j'ai entendu le directeur de la PJ à la radio. Il refuse de parler de serial killer. Il a même prétendu que les deux affaires n'étaient pas forcément liées. Il s'est caché derrière son petit doigt en assurant à la presse qu'un tueur n'était considéré comme sériel qu'à sa troisième victime. Pour l'instant, ils auraient des pistes sérieuses pour me coincer. Je suis impatient d'entendre son interview quand ils retrouveront la troisième.

Nous arrivons dans la chambre, elle passe devant et, dans une démarche langoureuse, va s'affaler sur le lit. Elle enlève les bretelles de sa jolie robe noire. Je l'arrête.

« Je m'en fous de ton cul, ça te dirait de gagner trois fois plus en travaillant pour moi ? »

## Chapitre 27

*Le 13 novembre 2018, 7 h 00*

Le bruit strident du percolateur agit sur Philippe comme un second réveil. Il remarque qu'il n'y a plus que dans les arrondissements populaires que l'on trouve des petits troquets sans prétention, au zinc desquels se côtoient les éboueurs, les travailleurs des cités d'en face, certains flics un peu désabusés, et des hommes perdus qui entament un ballon de blanc à peine levés… Ou pas encore couchés. À ses pieds, le caniche de son voisin tente de grignoter l'un de ses lacets défaits. Sur le coin du comptoir, un exemplaire du *Parisien* traîne négligemment, les pages déjà usées par les doigts abîmés des travailleurs de l'aube. Il l'ouvre en soufflant sur la première gorgée de son allongé.

« TUEUR EN SÉRIE DANS LA CAPITALE : LA BRIGADE CRIMINELLE DANS L'IMPASSE ».

Il commence la lecture de ce qui promet d'être le prochain prix Albert-Londres, et se décourage à peine les premières lignes parcourues. L'article parle d'une source proche de l'enquête qui a tout l'air d'être le commissaire Graziani, qui a bien fait son travail. Il a donné ce qu'il fallait au journaliste pour faire son article, lui évitant de faire appel à des sources moins officielles pour pimenter son papier. Un jeu d'équilibriste que seuls savent manier ceux à qui le goût de la stratégie a permis de grimper un à un les échelons du pouvoir. Il préfère poser le canard et écouter la vie autour de lui. Captivé par les gestes mécaniques du serveur qui remplit une à une les tasses de café pour les servir à ceux qui vont le boire d'une traite, ou au contraire s'appesantir devant, plongeant leurs yeux dans la tasse pour se laisser hypnotiser par les mouvements de la mousse sur le liquide couleur ébène. Il repense à ce deuxième réveil dans des draps qu'il ne connaissait pas. Il a laissé la jolie blonde dormir à ses côtés, sur le ventre, la couverture remontée jusqu'aux hanches. Il a vérifié que toutes les cartouches étaient présentes dans son arme, regardé une dernière fois les courbes de sa conquête, puis a claqué la porte sans laisser d'adresse. Il finit sa tasse et se dirige vers le bar d'hier soir pour récupérer sa voiture.

Dans son costume froissé, il se heurte à la cohue de la ligne 7 à l'heure de pointe. Comprimé par la foule, il se souvient de ses jeunes années d'inspecteur, quand il entrait dans le wagon tous les matins, son arme à la ceinture, avec ses cheveux hirsutes et son perfecto. Les gens étaient les mêmes, sans les écrans. Des lycéens, des travailleurs... Ici et là, un noctambule égaré qui traîne sa carcasse jusque chez lui, partageant le désarroi des passagers, le taux d'alcoolémie en plus.

Pendant que Philippe allume l'ordinateur de son bureau, Hakim entre en frappant à la porte.

« On a reçu les fadettes de Clara. Je m'y colle tout de suite.

— Bonjour, Hakim. Tu veux un café ?

— Non, merci. Je vais tout de suite voir si elles ont des clients en commun...

— OK, parfait. Je suis le dernier arrivé ?

— Ben, oui, il est neuf heures et demie. Y'a que Aline qui n'est pas là.

— Elle a pris quelques jours après l'histoire de Bordeaux... Je ne pouvais pas lui refuser ça. »

Le visage du brigadier se marque d'inquiétude.

« Elle va bien, au moins ?

– Je ne sais pas trop, elle n'a pas montré grand-chose. Je vais aller vers chez elle pour déjeuner à midi. Bon, tu ne devais pas aller te coller aux fadettes ? Et n'oublie pas de vérifier si le numéro de Clara borne là où Anaïs a été découverte. On ne sait jamais…

– Déjà fait, tu me prends pour qui ? dit Hakim en souriant. C'est négatif de ce côté-là, en revanche elles bornaient toutes les deux dans le VIII$^e$ trois jours avant de se faire tuer.

– Quoi ? Et tu ne pouvais pas le dire avant ? Où dans le VIII$^e$ ?

– Autour des Champs-Élysées et de Miromesnil.

– Bon, on va envoyer Julien et Jean faire toutes les caméras de surveillance des grands hôtels. Tu peux les briefer à ma place ? Je vais aller voir un tonton ce matin.

– OK, comme tu veux. Tu es sûr que ça va ?

– Oui, dis à Antoine que je lui confie le groupe pour la matinée. Je file. »

Philippe enfile sa veste et laisse sa tasse de café fumant sur son bureau. À peine sorti du parking du Bastion, il pose le gyrophare sur le tableau de bord de sa voiture de fonction et se faufile difficilement dans la circulation, direction le triangle d'or. Arrivé devant un immeuble cossu, il gare sa voiture à cheval sur le trottoir, non sans abaisser son pare-soleil « Police ». Il compose le digicode à la hâte et grimpe quatre à quatre les marches recouvertes d'une épaisse moquette rouge. Devant une porte vernie, il presse le bouton doré de la sonnette. Pas de réponse. Il tend l'oreille et n'entend pas un bruit. Il insiste. Après trente secondes de sonnerie continue, une voix se fait entendre, lointaine. « Putain, c'est bon, j'arrive. Merde. » L'homme qui lui ouvre la porte semble tout droit sorti d'un mauvais sketch. La cinquantaine bedonnante, il porte une moustache grise et quelques rares cheveux parfaitement plaqués vers l'arrière, même quand il vient de se réveiller. Enrubanné dans un peignoir en soie à motifs léopard duquel dépasse une épaisse toison, il a la voix rauque et une haleine de cigarette et d'alcool.

« Ouh là, mon Francky. La nuit a été dure ?

– Philippe, merde, j'espère que tu m'as apporté des croissants.

– Pas eu le temps, j'ai eu une illumination ce matin. Il faut que je te pose une question.

– Entre, mais je te préviens, je ne suis pas de la balançoire*, tu le sais. Tu veux un café ?

– S'il te plaît, oui. »

Francky fait couler deux cafés dans son immense cuisine. Philippe a un sourire en coin.

« T'es tout seul ?

– Oui, tu sais bien que mes camarades de jeu partent tous au petit matin. Mon appart, je veux bien que ce soit un lupanar, mais il est hors de question de faire auberge de jeunesse. »

Valmy s'amuse du bon mot de son indic.

« Bon, alors, qu'est-ce qui t'amène, Philippe ? Ne me dis pas que tu es venu pleine balle jusque chez moi pour prendre un kawa.

– Comment tu sais que je suis venu pleine balle ? Eh oui, j'ai des questions à te poser.

– Alors tout d'abord, poulet, tu as sonné sans reprendre ton souffle. Je sais que t'as monté les escaliers quatre à quatre, et je te connais assez bien pour me dire que tu n'as pas fait ça parce que tu as lu dans le dernier numéro de *Santé Mag* que ça aidait à se débarrasser du cholestérol. Donc, je sais que tu as besoin d'un truc urgent. Et

_____

* « Je ne suis pas une balance. »

deuxièmement, je ne balance personne. Ni sur du stup, ni sur du proxo.

– OK, Francky. Mais ta jolie mentale* de voyou à l'ancienne, tu l'appliquerais pareil pour un tueur de jeunes filles ? »

Francky pose brusquement sa tasse de café.

« Depuis quand tu bosses sur ce genre de trucs, toi ?

– Depuis que j'ai été muté à la Crim'. Il y a un peu plus d'un mois, à vrai dire. Bon, t'es prêt à m'aider ?

– Allez, poulaga, crache-la, ta Valda. T'as besoin de quoi ?

– J'ai entendu des bruits de chiottes à droite, à gauche… Il paraît qu'un type organise des soirées super trash avec des escorts pour des mecs pleins aux as.

– Des soirées comme ça, y'a que ça dans Paris, mon grand. Il faudrait m'en dire un peu plus.

– Apparemment, les mecs auraient le droit de salement amocher la fille. Vraiment salement…

– Tu veux dire, jusqu'à la buter ? Putain, c'est tordu. Même moi, je ne connais pas

---

* « Mentale » : contraction de « mentalité », utilisée dans le jargon des voyous pour désigner un respect de certaines règles dans le grand banditisme.

de mecs qui sont dans ce genre de délires. C'est une chose de se balancer de grands coups de volts à travers des pince-tétons, mais de là à tuer quelqu'un... Non, si j'avais entendu parler d'un truc comme ça dans Paris, je t'aurais appelé tout de suite.

– Tu peux tendre l'oreille ? Et surtout la boucler ?

– T'en fais pas, je suis une tombe. Tu as besoin d'autre chose ? »

Valmy finit son café et se dirige vers la porte.

« Non, je t'appelle dans vingt-quatre heures, essaie de me trouver un truc.

– Je vais faire ce que je peux. »

Assis dans sa voiture après son déjeuner avec Aline, Philippe sait qu'il va devoir affronter l'épreuve qu'il redoute depuis plusieurs jours. Il envoie un SMS à Antoine pour le prévenir qu'il ne reviendra au bureau qu'en fin d'après-midi. Il démarre et prend la direction de son appartement. Sur le chemin, pas de gyrophare ni d'entorse au code de la route. Comme un ultime moyen de reculer l'échéance, il roule le plus lentement possible, s'arrêtant même au feu orange, ce qui, dans la circulation parisienne, reviendrait presque à un délit. La douleur de sa rupture se fait de plus en plus intense à mesure qu'il franchit les carrefours. Depuis qu'Élodie l'a quitté, il n'a pas arrêté de travailler, enchaînant les heures de service et les verres hors service pour ne pas faire face à son désarroi. Mais, maintenant, il va se retrouver plusieurs heures seul face à son passé, et ça le terrifie.

Pour la énième fois, il compose le digicode de l'immeuble, monte les marches qui mènent au troisième étage. Cette fois, il ne les monte pas quatre à quatre. Il progresse lentement, la main crispée sur la rampe. Devant la porte de son appartement, il pose les yeux sur son paillasson. Il n'a rien de spécial, ce paillasson. Un simple rectangle de paille comme il en existe des milliards. Mais celui-là a accueilli ses pas, il a senti les talons d'Élodie s'enfoncer entre ses picots sous la force de l'étreinte de Philippe. Il a été effleuré par les bottines de Valmy lorsqu'il tentait de ne pas la réveiller en rentrant de sa nuit. Il essayait, mais, immanquablement, le parquet grinçait sous ses pas. Il tourne la clé dans la serrure, entend le cliquetis pour la dernière fois et pense au bruit d'un cadenas qui se referme sur sa relation. En entrant, il est saisi par un l'air froid qui règne dans son appartement, d'habitude si chaleureux. Son poing se serre, il est seul. Personne pour le regarder, sa vie n'a pas de spectateurs. Il s'assoit sur le tapis de l'entrée et pleure, pleure tout ce qu'il peut pour évacuer la douleur. Il se revoit passer la porte, bercé par la lumière tamisée qui s'échappe du salon, un disque de jazz ou de rock en fond sonore. Il se revoit sortir son arme de son holster, retirer son chargeur, faire voler la cartouche en l'air en la sortant de la chambre. Un petit côté cow-boy qu'il s'autorise encore aujourd'hui. Bercé par les notes de musique, il s'approchait du canapé sur lequel Élodie buvait un verre de vin, parfois avec un bol d'olives à la grecque acheté chez le petit traiteur d'en bas. Il se servait un whisky et l'embrassait sur le front. Il sentait la chaleur qui irradiait de son corps, qui allait le tirer de la froideur administrative dans laquelle il passait ses journées. Elle était tout ce qu'il lui fallait pour se sentir mieux. Elle ne lui offrait rien d'autre que sa présence et son amour, mais c'était le plus beau cadeau qu'on lui avait jamais fait. Il se souvient aussi des disputes, nombreuses. Il voit la cuisine, sur le sol de laquelle la vaisselle volait souvent en éclats. Assis sur ce putain de tapis, Valmy laisse les souvenirs affluer vers sa mémoire.

Dans sa tête, les étreintes de son ex-femme sont venues piétiner les victimes, l'enquête, le tueur en série. Il est l'homme le plus en vue de la PJ parisienne en ce moment, il tient entre ses mains l'une des plus grosses enquêtes de ces dernières années, et tout ça n'existe plus, disparaît sous le poids de son cœur brisé. À ce moment précis, rien n'est plus important qu'elle, ses yeux, sa bouche. Les mensonges qu'il a pu dire, les regards fuyants qu'il a pu avoir. Ces filles de passage dans sa vie, les litres de whisky qu'il a éclusés depuis quelques jours, toutes ces minutes passées à se morfondre le submergent. Philippe Valmy n'est plus qu'une masse humaine de tristesse, et il doit mettre un terme aux agissements de l'un des pires tueurs que Paris ait connus depuis longtemps. Le regard vide du corps d'Anaïs lui revient en tête. Il lui redonne l'énergie de se lever. Il va dans sa chambre, sort deux valises et commence à ranger ses vêtements. Plus rien ne peut l'arrêter. Il va prendre ses affaires, les déposer chez Louis et consacrer chacune de ses respirations à la traque de ce monstre. Ce mot le frappe de plein fouet. Il repense au procès de ce tueur pédophile dont l'avocat avait dit : « Ce n'est pas un monstre. Il fait partie de notre espèce : la race humaine. Il est comme vous et moi. »

Comme dans un mauvais téléfilm, Valmy est pris d'une sorte de frénésie.

« Ce connard est comme nous, c'est un être humain... Et depuis le début, on fait des erreurs. Il en fera une. Et on sera là, tapis dans un coin, à l'attendre au tournant. » Il ne pensait pas se prendre au jeu à ce point-là. Il a l'impression de retrouver les sensations de sa jeunesse. Cette force irrésistible grâce à laquelle il repousse les limites de son physique, de son esprit. Un instinct de chasseur qui lui permet de rester embusqué dans une camionnette inconfortable des heures durant, dans le seul but de voir sa proie sortir du bois, mettre prudemment un pied hors de son immeuble, regardant à droite, à gauche, à la recherche du moindre signe d'un dispositif policier. À ce moment-là, le flic retient son souffle, comme si la moindre respiration pouvait le trahir, faire bouger la carcasse du soum, créer un mouvement imperceptible à l'œil nu, mais qui déséquilibrerait l'environnement et créerait chez la proie une alerte sensorielle. Un instinct. Les flics sont des chasseurs, les voyous des gibiers, et chacun a développé des capacités de perception qui vont dans le sens de sa survie. Un voyou est capable de repérer un flingue mal caché sous un tee-shirt, un flic pourra capter la peur d'être traqué dans le regard du moindre passant. Et c'est la sélection naturelle qui conduira le voyou à se faire interpeller en flag, et le flic à se faire détroncher... ou pire. Quand le banditisme rencontre le darwinisme, les flics divorcés se mettent à théoriser.

La deuxième valise est pleine à craquer, Philippe laisse ses meubles derrière lui, son jeu de clés sur le buffet. À travers les fenêtres, le soleil de novembre irradie le canapé du salon, comme s'il voulait braquer une dernière fois les projecteurs sur le passé de Philippe Valmy. Il quitte l'appartement, non sans avoir perdu son regard dans le nuage de poussière en suspension qui apparaît dans le sillage du rayon de lumière.

Il referme le coffre de sa voiture et se dirige vers le Bastion. Dans le vide-poches, son téléphone portable. Il se rend compte qu'il n'a pas été joignable pendant plus de deux heures. Avant de regarder l'écran de notifications, il s'accorde quelques dernières secondes de liberté, sort de la voiture et allume une cigarette. Adossé à la portière, il souffle doucement la fumée. Pendant cinq minutes, il ne fait qu'écouter bruire les feuilles des arbres qui frissonnent sous l'impulsion du vent automnal. Il jette son mégot et regarde enfin l'écran de son téléphone. Cinq appels en absence. Deux d'Antoine et trois d'un numéro privé, quelques textos d'Hakim... Les fadettes ont parlé. Il a retrouvé cinq numéros communs à Anaïs et à Clara. Philippe écoute un message d'Antoine. « Philippe, rappelle-moi, les stups cherchent à te joindre. C'est important. »

# Chapitre 28

*Le 13 novembre 2018, 18 h 00*

Les couloirs de la brigade des stupéfiants sont bien moins feutrés que ceux
de la Crim'. Une véritable fourmilière
dans laquelle on s'interpelle d'un bureau à
l'autre. « Putain, il est où, mon storno* ? »,
« Momo, prends le soum, je prends la
bécane. On se rejoint sur zone dans vingt
minutes ». Le bruit des cartouches cham-
brées à la va-vite ponctue les échanges
entre les policiers. En progressant vers le
bureau dans lequel l'attend son collègue,
Philippe croise le groupe qui part en filature. Un grand escogriffe déguisé en rasta,
deux montagnes de muscles au look de
rappeur, une jeune femme avec un jean
déchiré et un faux livreur de pizzas. Dans
son costume cintré, Valmy détonne franchement. Il se souvient de ses débuts à la
deuxième DPJ, où il faisait tout pour ne
pas ressembler à un flic. Maintenant, le

---

\* Terme d'argot policier désignant un talkie-walkie.

commandant Valmy, dans l'état où il est, ne pourrait pas « bien passer » en filature en dehors des quartiers chics. « Merde, mes pinces\*. » Le rasta fait demi-tour et le bouscule en s'excusant. Au bout du couloir, un bureau, semblable à tous ceux du Bastion. Philippe frappe doucement à la porte ouverte. Un homme de son âge lève les yeux de son écran et retire son casque d'écoutes. Tee-shirt, treillis, cheveux gris en bataille et barbe de baroudeur, son style tranche franchement avec celui de Valmy.

« C'est toi, Valmy ? demande-t-il en se levant pour lui tendre une main amicale.

– Oui.

– Fred Labasse, je suis le chef du groupe Overdoses. »

Dans l'*open space* où il l'accueille, un vieux canapé côtoie des affiches de prévention, des photos du groupe avec leurs plus belles prises, et des posters de films de Clint Eastwood. L'ambiance est posée. Philippe s'affale immédiatement dans le vieux canapé. Il sait que son collègue ne s'en offusquera pas.

« Désolé d'arriver si tard, j'étais sur le pont toute la journée. Que me vaut ton coup de fil ?

---

\* Terme d'argot policier désignant les menottes.

– T'as pas consulté ton mail pro aujourd'hui ? »

Philippe se sent piqué au vif.

« Pas eu le temps, j'ai un tueur sur les bras. »

Labasse lui sourit. Il sent qu'il a vexé son collègue et tente de rattraper le coup.

« Bon, je te la fais courte. On est en train de bosser sur l'OD* d'une escort dans une chambre d'hôtel. »

D'un coup, Valmy se redresse dans le canapé.

« Bien, je vois que ça t'intéresse. En bref, on a réussi à remonter le fournisseur, et on a envie de le toper en beauté, parce que ce connard refile de la came coupée avec de la grosse saloperie. On veut qu'il en prenne pour un max et, accessoirement, si on pouvait se faire les grossistes, ça serait la cerise sur le McDo. Bref, ça fait trois mois qu'on les a sur zonzons, et on sait presque tout. On va les taper dans pas longtemps. Donc on est en train d'essayer d'identifier les acheteurs, histoire de pouvoir les entendre une fois qu'on aura interpellé tout ce joli monde. Et comme on est des flics bien élevés, on les a tous passés au FBS**, his-

---

\* Overdose.

\*\* Fichier des brigades spécialisées : fichier dans lequel les services d'investigation répertorient leurs objectifs (et, accessoirement, leurs informateurs).

toire de savoir si l'un d'entre eux n'était pas maqué avec un collègue. Et c'est là que tu interviens. Figure-toi qu'on est tombés sur l'un de tes indics. »

Valmy se lève.

« Qui ?

– Tu connais Maxime Richard ? »

Philippe se met à parler dans sa barbe.

« Max… Tu fais chier. »

En l'entendant, Labasse se met à sourire.

« C'est un bon indic ?

– Mon meilleur, et j'en ai quelques-uns. »

Le flic des stups plante ses yeux dans ceux de Valmy.

« Tu veux qu'on le décroche ? »

D'instinct, Philippe aurait dit oui. Mais il a envie d'en savoir plus.

« Tu peux me faire écouter l'enregistrement ? »

Labasse fait une moue contrariée. Philippe le regarde fixement.

« Eh, je m'en fous de ton dossier de stups. Sans jeu de mots, mon tonton est censé être blanc comme neige, niveau came. Ça m'inquiète. Je veux pas lire ton dossier, juste entendre ce qu'il se dit. »

Le commandant des stups n'est pas né de la dernière pluie. Il sait reconnaître un flic qui a flairé un loup.

« Tu as un doute par rapport à ton affaire ?

– Pourquoi tu dis ça ?

– Parce que tout le 36 sait que tu bosses sur des escorts trucidées, que l'affaire fait la une des journaux, et que j'ai oublié d'être con. »

Valmy cède.

« J'ai un doute, oui. Je voudrais en savoir plus.

– Bon, clairement, les crimes de sang sont plus importants. Je vais déroger à mes principes. »

Joignant le geste à la parole, l'enquêteur pianote très brièvement sur son ordinateur et tend son casque à Philippe, qui le regarde, pas dupe.

« Tu as sauvegardé l'écoute, tu savais que j'allais te la demander.

– Toi aussi, t'as oublié d'être con, dis-moi. On ira boire un coup un de ces soirs, on va se marrer. J'étais quand même obligé de te faire la danse de l'enquêteur effarouché, question de principe. Allez, t'as le droit à une écoute. »

Valmy enfile le casque et lit en même la retranscription sur l'écran :

Conversation entre XH, identifié comme Maxime Richard, qui appelle Saïd Bouglema, dénommé OBJ 1 dans la conversation.

Réponse au bout de cinq sonneries.

OBJ1 : Allô ? (Musique en fond sonore, selon les slogans entendus, il s'agit de Radio FG, OBJ1 semble être dans son véhicule, au vu des bruits ambiants.)

XH : Ouais, j'ai besoin d'un truc.

(Parle dans un environnement calme, pas de bruits alentour.)

OBJ1 : Comment tu vas, frère. Tu veux quoi ?

XH : 3G.

OBJ1 : Vas-y, c'est bon. T'as le forfait qu'il faut.

XH : Tu peux me livrer la SIM dans combien de temps ?

OBJ1 : Dans 20 minutes, c'est bon.

XH : Parfait.

OBJ1 : J'envoie mon livreur chez toi ?

XH : Non, dis-lui de venir au club Le Boudoir, rue Vivienne.

OBJ1 : Le Boudoir ?

(OBJ1 rit fort.) Putain, t'es un chaud, toi.

XH : T'occupes, à tout à l'heure.

OBJ1 : Vas-y.


--- OBJ1 raccroche. Fin de la communication.---


Valmy repose le casque.

« Pas de doutes, c'est mon TT*. Y'a un truc qui me chiffonne. »

Labasse rit.

« Ah, le limier de la Crim' aurait-il une intuition ?

– Un peu, oui. C'est la seule écoute que tu as avec ce numéro ? »

Le flic des stups pianote rapidement sur son ordinateur

« Yes, Sir. »

Valmy consulte son téléphone.

« Le numéro, c'est le 06 71 89 90 66 ?

– Exactement, c'est quoi ton intuition, mon seigneur ?

– Fous-toi de ma gueule. Max a appelé avec son téléphone réglo, mais les deux ont l'air de se connaître, non ?

– Carrément, oui.

– Qui gère la ligne de ce type-là ?

– Un de mes gars dans le bureau d'à côté.

– Tu penses qu'il pourrait voir s'il ne reconnaît pas la voix sur un autre numéro ? S'il a un portable de guerre, je voudrais bien le savoir.

– Je vais aller le voir et le lui demander. Tu veux un kawa en attendant ?

– C'est pas de refus.

---

* Diminutif de tonton, indic.

– Eh ben, sers-toi, collègue. Tu sais utiliser une machine à expresso, rassure-moi. »

Valmy se lève et se fait couler un café dans l'une des tasses qui reposent à côté de la machine.

Quelques minutes plus tard, le nouvel ami de Philippe revient en souriant.

« Bon, j'ai une bonne nouvelle. Ton type a une voix très suave, et mon gars l'a reconnu très vite. Il était en congé quand ton TT a appelé de son numéro réglo, donc c'est pas lui qui a écouté la communication. Ça explique pourquoi il n'a pas connecté les points avant. Bref, ton indic a en effet un portable de guerre, et il commande hyper régulièrement.

– Et tu me dis que votre affaire part d'une escort morte dans une chambre d'hôtel ?

– Exactement. C'est la femme de chambre qui l'a retrouvée claquée, les occupants de la suite étaient des dignitaires omanais qui sont rentrés dans leur pays et qu'on a beaucoup de mal à atteindre... Surprenant, non ?

– La politique internationale me passionne, mais là, ce qui m'intéresse, c'est de savoir si ton objectif fournit d'autres prostituées.

– On n'a pas vraiment creusé de ce côté-là, je t'avoue. On a eu le tubard par un indic, les écoutes ont vite confirmé que c'étaient eux, et on s'est concentrés sur le volet stups de l'affaire.

– Je vais peut-être abuser, mais tu pourrais me faire écouter les écoutes du portable de guerre ? »

Labasse lève les bras au ciel et dit d'un air théâtral :

« Oh, mon cher Valmy, vous allez me faire renier toutes mes convictions. »

Dans l'*open space* de la brigade criminelle, la totalité du groupe Valmy est réunie. Seule Aline manque à l'appel. Mais l'enquêtrice, bien qu'en congé, a insisté pour être présente par téléphone. Philippe commence son exposé.

« Bon, j'ai une piste sérieuse. Très sérieuse. L'affaire prend un nouveau tournant. Encore une fois, il s'agit d'un de mes indics. Je vous la fais courte. J'ai reçu un coup de fil des stups, l'informateur en question ressortait sur des écoutes pour un trafic de coke. J'ai pas mal négocié avec le chef du groupe OD, et il m'a laissé fouiner un peu, donc j'ai remarqué que Max, mon indic, que j'ai vu il y a quelques jours, avait un portable de guerre. Un numéro bidon prépayé dont il se sert pour commander auprès de leur objectif. Ce qui m'a mis la puce à l'oreille, c'est que, quand j'ai vu Max, il m'a posé plein de questions sur l'affaire, l'air de rien. Donc, j'ai creusé un peu plus. Et en écoutant toutes les communications du numéro prépayé, il se faisait toujours livrer dans des hôtels qui sont dans le secteur qui nous intéresse. Tout ça lié au tuyau du micheton d'hier me fait dire que les points commencent à se connecter. Bref, les enfants, j'ai l'impression qu'on tient quelque chose. J'ai demandé à Hakim de vérifier si le numéro bornait quelque part autour des lieux du crime. Et là, on a eu un peu de chance, mais pas trop. Il borne à la Villette, mais pas au bois de Boubou. Vous en pensez quoi ? »

Antoine se frotte le menton.

« Ça sent très bon, tout ça. »

Julien se tape dans les mains.

« On interpelle demain matin ? »

Valmy enchaîne.

« Je suis OK. »

Jean lève la main.

« Hors de question d'interpeller, on est trop légers, là. On ne va pas user des heures de garde à vue. Je vous rappelle qu'à la Villette il y avait les concerts. Il peut s'en sortir tellement facilement. Il tombera pour conso de stups et voilà. En revanche, si le tubard tient la route, et qu'il gère un réseau, il y a une chance pour qu'il utilise aussi le portable de guerre pour son business. Donc il faut le brancher et voir ce que ça donne. »

Antoine parle plus fort que d'habitude.

« Si c'est lui, il ne faut pas le laisser dans la nature. »

Valmy acquiesce.

« On trouvera forcément des éléments en perquise. Il faut le taper maintenant. »

Graziani, dont les oreilles sont aux aguets lorsqu'il arpente les couloirs, rentre dans le bureau sans prévenir.

« Bon, Valmy, on va arrêter les conneries, là. Vous allez me parler de votre fameux tuyau, et on va suivre Jean. On ne peut pas se permettre de le laisser filer. Mon cher Jean, vous allez profiter du privilège de votre bureau isolé pour me taper une demande de mise sur écoute auprès du juge. Vous me rédigez ça aux petits oignons avec l'aide de votre chef de groupe. »

Philippe et Jean répondent à l'unisson.

« Bien patron. »

Le chef de service s'adresse à Valmy.

« Et vous, Philippe, vous avez deux minutes pour m'expliquer ce que c'est que cette info dont je n'ai jamais entendu parler. »

## Chapitre 29

*Le 20 novembre 2018, 15 h 00*

Si, depuis une semaine, l'ambiance est toujours tendue dans les couloirs du Bastion, quelque chose a changé. Dans les débuts de l'enquête, le groupe Valmy allait chercher le moindre indice, la moindre piste, dans tous les sens. Sans vraiment avoir de direction à donner à l'enquête, le rouleau compresseur de la Crim' écrasait tout sur son passage, disséquait le moindre numéro de téléphone, passait au fichier le moindre propriétaire de véhicule qui circulait sur les lieux des crimes. Maintenant, leur quête se dessine sous les traits de Max. Sa photo de permis de conduire est aimantée au grand tableau blanc. Grâce à des recherches poussées dont les ripeurs du groupe ont le secret, et avec l'aide d'une psychologue venue de l'OCRVP*, ils ont réussi à établir son profil.

---

\* Office central de répression de la violence aux personnes, service d'investigation de la Direction centrale

Né dans une famille bourgeoise, Max a reçu une éducation catholique stricte, entouré d'un père dur et distant et d'une mère qui ne travaillait pas, soumise à la terreur que faisait régner son mari dans le foyer. Il a passé les dix premières années de sa vie dans des écoles catholiques, y a pratiqué le catéchisme, a fait son collège chez les jésuites, dans le culte de la religion et du labeur. Puis, le jour de ses treize ans, tout l'équilibre du petit Maxime est bouleversé. Le secret éclate : il est le fils de la bonne de la maison. Ne supportant pas le scandale qui s'abat sur la famille, le père les chasse. Max se retrouve alors à la rue avec une femme qu'il ne considérait même pas quelques jours plus tôt et qui se révèle être sa mère. Ils vont vivre quelque temps chez ses nouveaux grands-parents, en région parisienne. Très vite, leur relation s'envenime. La mère quitte sa famille, affublée d'un fils qu'elle n'a jamais voulu, qu'elle n'aime pas, simple résultat de la pratique ancestrale du troussage de bonne. Seule dans Paris avec deux bouches à nourrir, elle n'a d'autre choix que de

---

de la police judiciaire spécialisé dans les crimes violents, et dont l'équipe de psycho-criminologues a compétence pour assister les services d'investigation.

pratiquer le plus vieux métier du monde. C'est de là que viendrait la haine du suspect pour les prostituées. Comme indissociable de toute misère humaine, la drogue fait son apparition dans les veines de l'ancienne domestique. Elle se retrouve prise dans un cercle vicieux. En prendre pour pouvoir faire ça, et faire ça pour pouvoir en prendre... La came a envahi son corps et, petit à petit, lui dévore le cerveau. Elle lui crée des œillères. Son fils de quatorze ans n'a plus d'importance pour elle. Quand il ne traîne pas ses guêtres dehors, flirtant avec les prémices de la délinquance, il reste assis dans la cuisine de leur petit appartement. Les dealers et les clients défilent. Max prend sur lui. Puis disparaît le jour où sa mère fait une overdose. Pendant quatre ans, il ne se fait jamais remarquer. Il intègre l'armée à dix-huit ans. Là-bas, il apprend à manier les armes. La « grande muette » a bien voulu communiquer son dossier de soldat. Sur plusieurs missions à l'extérieur, il fait preuve d'un sang-froid à toute épreuve qui lui a valu l'admiration de ses supérieurs. Il quitte l'uniforme à vingt-cinq ans pour commencer à travailler dans le monde de la nuit, d'abord comme videur dans quelques boîtes, puis comme gérant, jusqu'à prendre les rênes du Boudoir... Et devenir l'indic de Valmy.

Philippe relit une énième fois le rapport de la psychologue. Sous la lueur de sa lampe de bureau, il décortique chaque phrase, chaque mot, pour pouvoir y trouver le début du commencement d'un indice. Les écoutes n'ont pas donné grand-chose pour l'instant. Son portable de guerre n'a pris que des coups de fil de michetons qui veulent une fille pour la nuit, sans demander d'excentricités. Si les faits de proxénétisme sont clairement établis, ils n'ont encore aucune preuve qu'il soit le meurtrier. Philippe a fait transférer la ligne d'écoute sur son téléphone. Chacun des appels de Max lui arrive directement. Il est aux aguets. Tapi dans l'ombre, en attendant que la biche sorte du bois.

Les couloirs de la Crim' se sont vidés. Seul face à l'heure qui tourne, Philippe sirote un whisky dans son bureau. Une bouteille qu'il a cachée à son arrivée dans l'un des tiroirs qui ornent le mobilier du Bastion. De sa fenêtre, il observe la carcasse du Palais de Justice en construction. C'est sans doute ici que Max sera jugé après l'instruction. Une vibration continue fait bouger son smartphone. « Numéro inconnu ». Il décroche. Entend plusieurs sonneries. Max reçoit un coup de fil.

« Allô ?

– Bonsoir, le colis est-il prêt à être livré ?

– Bien évidemment, vous ai-je déjà fait faux bond ?

– Dans les conditions demandées ? Elle sera bien…

– Ne parlez pas au téléphone. Oui, toutes vos conditions ont été remplies.

– Très bien. À demain, alors.

– À demain. Vingt heures sur place. »

Philippe bondit de son fauteuil et décroche son téléphone.

« Antoine, demain matin, on monte un dispo dès huit heures du matin devant chez Max. Il a une commande. »

*Le 21 novembre 2018, 17 h 55*

Depuis quelques jours, je n'ai pas l'esprit tranquille. Philippe m'a demandé des infos, mais il ne m'a jamais relancé. Ce n'est pas dans ses habitudes... Je ne devrais pas honorer la commande de demain, mais c'est beaucoup trop tentant d'en finir comme ça. Assis à la terrasse d'un bar branché, je l'attends tranquillement sans qu'elle ait la moindre idée du sort que je lui réserve. Ces clients-là sont vraiment tordus. Ils me commandent leurs fantasmes les plus abjects, et je les assouvis sans mot dire. Voilà pourquoi ils me payent grassement. Une fois repus, ils quittent la pièce en se bouchant le nez, et moi je fais en sorte qu'ils n'aient à s'inquiéter de rien. Un service cinq étoiles sans lequel ils seraient frustrés, obnubilés par ces pensées noires et sordides qui hantent leurs esprits. Voyant en chaque fille croisée au détour d'une rue une proie potentielle pour l'animal pervers et violent qui sommeille en eux. Je les nourris de ces horreurs dans un cadre qui les rassure. Ensuite, ils rentrent chez eux, embrassent leur femme, leurs enfants, les font sauter sur leurs genoux. Quand ils se couchent à côté de leur épouse, ils font semblant d'être fatigués pour éviter les rares assauts libidineux de ces femmes qui sentent leur mari leur échapper. Peut-être s'imaginent-elles qu'ils ont une aventure avec leur secrétaire, leur assistante... Elles se croient dans une mauvaise comédie romantique, où les couples surmontent des épreuves et se retrouvent à cinquante ans. Détrompez-vous, mesdames. Votre époux ne passe pas ses pauses déj à baiser une stagiaire dans un Campanile. Il passe ses soirées à torturer des filles, et il me paye pour les lui fournir.

Et cette fois-ci, ils ont voulu s'offrir autre chose qu'une escort. Ils voulaient une « civile », comme l'autre me l'a dit au téléphone. Droguée au GHB et laissée à l'abandon dans un endroit glauque spécialement aménagé pour leurs perversions. Ils voulaient qu'elle soit jeune, mais pas trop. Jolie, mais pas trop. Mais, surtout, qu'elle ne puisse jamais parler de ce qu'elle a vécu. Aucun risque. C'est contre mes principes de tuer quelqu'un d'autre qu'une prostituée, mais les règles sont faites pour être contournées. Je me demandais comment j'allais la trouver, puis j'ai reçu un SMS salutaire d'une vieille connaissance. Parfois, les occasions vous tombent toutes cuites dans le bec. Pendant que je l'attends, attablé dans ce bar, je pense à ce qu'elle va vivre. Je me sens désolé pour elle, et en même temps excité comme une puce. J'ai ouvert la boîte de Pandore, et il va être impossible de la refermer. Un jour ou l'autre, les flics me mettront hors d'état de nuire. Et ça ne va pas tarder…

Depuis vingt ans, je n'ai appris à vivre que grâce à mon instinct, n'écoutant que lui, et ça ne m'a jamais fait de tort. Là, je sais que je suis traqué. Je vais finir en apothéose. J'ai toujours haï Valmy, faisant tout pour n'en rien laisser paraître. Sa suffisance, sa façon de se mouvoir, de regarder partout, comme un parano de flic. Quand j'ai su qu'il enquêtait sur moi, je me suis juré de le faire souffrir. Parfois, la vie vous offre un concours de circonstances dont vous n'avez jamais osé rêver. La porte du bar s'ouvre, et je la vois marcher vers moi. Jolie jupe noire sur des collants assortis, veste en cuir, maquillage discret et cheveux détachés, elle est très belle. L'ampoule de GHB dans la poche, j'attends le bon moment pour la verser dans son verre. D'ici trois heures, elle sera à la merci d'une horde sauvage. Elle me sourit et commande un kir au serveur. Décidément, ce connard de Valmy a bon goût. Ce soir, Élodie est à croquer.

# Chapitre 30

*Le 21 novembre 2018, 18 h 00*

Bientôt dix heures qu'Aline et Philippe sont assis dans cette voiture, les yeux rivés sur la porte d'entrée de Max. La nuit commence à tomber sur la capitale, et petit à petit leurs yeux doivent s'adapter à l'obscurité qui, alliée à la fatigue accumulée, rend la surveillance encore plus ardue. Aux pieds de Valmy, installé sur le siège passager, une poubelle de fortune recueille les résidus de leur repas frugal. Un coup de coude dans les côtes fait sursauter Philippe.

« Regarde, c'est pas lui ? »

Aline lui désigne du menton un break qui vient de se garer devant la porte de l'immeuble. Max sort du côté conducteur. Sur le siège passager, une ombre dont on ne distingue pas bien les contours. Philippe se saisit de la radio.

« Attention, pour tous. L'objectif vient d'arriver chez lui. Je ne sais pas comment ce con est sorti. Il y a une nana avec lui dans le véhicule. Il vient de rentrer dans l'immeuble.

– Philippe de Julien, tu veux que je fasse un passage à pied pour voir la fille ?

– Négatif, ça ne servira à rien. Tenez-vous prêts, on démarre la filoche. »

Max remonte dans sa voiture, démarre et se dirige tranquillement vers l'est parisien. Dans un ballet parfaitement rodé, les trois voitures de la Crim' le suivent à distance. Les mains d'Aline se crispent sur le volant. À travers les échanges radio, brefs, précis, la tension est palpable. Les six flics, concentrés, ne quittent pas des yeux les feux arrière du break de Max. Sur le rond-point de la Nation, Hakim a la vue bouchée pendant quelques minutes par une camionnette qui lui fait une queue de poisson. Quand l'utilitaire disparaît, impossible de retrouver leur objectif. Julien se saisit de la radio « À tous ! On l'a perdu, on ne l'a plus à vue. » Aline met un coup rageur sur le volant et fait vrombir le moteur pour faire le tour du rond-point le plus vite possible pendant que Philippe scrute chaque avenue embouteillée, espérant y voir la voiture de Max. « Putain, avenue de la Porte-de-Vincennes. Enquille ! »

« À tous de Philippe, on l'a rebecqueté*, il part vers le périph'. On se met à son cul. »

---

* Argot policier : retrouver un objectif perdu pendant une filature.

À la porte de Vincennes, les flics se collent au train de la voiture pour être sûrs de ne pas la perdre. Ils avancent sur le périphérique au son des motos qui remontent les files et de leurs klaxons rageurs. La voix d'Antoine grésille dans l'Acropol. « Ça prend direction A4, on enquille derrière lui. C'est reçu ? » Le break allemand de Max distance de plus en plus les véhicules administratifs. Heureusement, il cherche à rester discret et n'enfreint pas les limitations de vitesse. À l'heure des retours de bureau, la circulation rend le dispositif moins détectable. Le long de la route, un panneau « Créteil-Provins ». Il a pris la direction du Val-de-Marne. Philippe peste. « Putain, qu'est-ce qu'il va foutre là-bas ? » Derrière le dispositif, Antoine et Jean sont prêts à prendre le relais pour éviter que Max ait l'ombre d'un doute.

« Jean… Je peux te poser une question ?

– C'est bien la première fois que tu me demandes l'autorisation. Qu'est-ce qu'il y a ?

– Ben… Tu ne trouves pas que Philippe est un peu trop impliqué émotionnellement ? Je veux dire, son indic qui se fait tuer par un autre de ses indics… Ça fait beaucoup d'indics pour un seul homme, non ?

– Qu'est-ce que tu veux dire par là ?

– Rien, c'est juste que j'ai peur qu'il ne fasse plus trop la part des choses.

– Pour l'instant, je ne le vois pas prendre de décision insensée... Alors, on reste derrière notre chef. Si jamais ça merde, on avisera.

– Comme tu veux, mais tu ne m'empêcheras pas de penser qu'on marche sur des œufs...

– Je n'ai jamais dit le contraire, mais j'ai envie de lui faire confiance. »

Le regard d'Antoine se perd à travers la vitre. Calmement, il regarde défiler un paysage d'une monotonie affligeante.

« Attention pour tous, il accélère... Il va sortir. OK, il prend la sortie direction Brie-Comte-Robert. Il nous paume aux confins du Val-de-Marne. On suit, mais il va nous falloir un relais, reçu ? »

Philippe ne quitte pas le break des yeux, tenant fermement la radio dans ses mains.

« Philippe de Julien, on était derrière vous, mais on a été bloqués, on a loupé la sortie. »

« Antoine de Philippe, nous, on est là, mais il va nous falloir du temps pour vous rattraper. Jean se dépêche. »

Max arrive au niveau d'un rond-point. La route est déserte. Aline n'a pas le choix, elle doit rester derrière lui et s'engage. Pendant quelques secondes, le break passe devant toutes les sorties. À la dernière, Philippe comprend.

« Mets ton cligno et sors, il est en train de nous baiser. »

Pendant que Max s'offre un deuxième tour de rond-point, Aline est obligée de s'engager sur une route à sens unique. Ils font trois cents mètres, et Philippe hurle dans le storno une nouvelle fois.

« À tous, on l'a perdu sur le premier rond-point, il nous l'a mise à l'envers. Il a pris la deuxième sortie. »

En entendant grésiller leurs radios, Hakim et Jean, au volant des deux autres voitures du dispositif, font vrombir leurs moteurs pour arriver le plus vite possible...

# Chapitre 31

Sur les ondes, plus personne ne parle. Philippe a donné l'ordre à Hakim de vérifier la localisation du portable de Max via son application mobile. La dernière borne déclenchée était sur le périphérique. Il a dû couper Internet. Il faut donc qu'il reçoive un SMS ou un appel si Valmy veut retrouver sa position. L'appeler ? Lui tendre un piège ? S'ils provoquent le bornage d'une façon ou d'une autre, la méfiance de Max peut se transformer en véritable folie. Chaque voiture a emprunté une sortie du rond-point et roulé sur cinq kilomètres, mais aucune trace du break.

Aline se gare sur le bas-côté et pianote sur son téléphone.

« Bon, dans le coin, il n'y a pas de beaux hôtels. En fait, il n'y a rien à des kilomètres à la ronde. »

À côté d'elle, Philippe tente de contenir sa rage.

« Comment ça ? On est en petite couronne, putain. C'est pas possible qu'il n'y ait pas une baraque.

– Tu veux quoi ? Qu'on aille défoncer toutes les portes pour voir s'il est derrière ? Philippe, essaie de te souvenir si ce coin a un rapport quelconque avec Max. Vous étiez assez potes, non ?

– Plutôt, oui. Comme il ne trempait dans rien d'illégal, on avait un rapport plus détendu... Putain, ce que je suis naze !

– OK, et il ne t'a jamais parlé de quoi que ce soit qui serait dans cette zone ? »

Philippe regarde fixement devant lui. La nuit noire embrasse l'asphalte simplement éclairé par les phares de leur voiture. Il tourne brusquement la tête vers Aline.

« Fais demi-tour, file sur le rond-point. »

Sentant que ce n'est pas le moment de contrarier son chef, Aline fonce en direction du dernier endroit où ils ont vu Max.

« Fais le tour, dépêche-toi. »

L'enquêtrice s'engage à toute vitesse.

« Ralentis, bordel. »

Dans la voiture au pas, Philippe détaille un à un les panneaux de direction. Il se met à crier.

« Prends cette sortie, et fonce, putain ! »

La voiture s'engage sur une route départementale sans éclairage, suivant un panneau de direction dont certaines lettres sont effacées. Valmy se saisit de l'Acropol.

« Pour tous, on est retournés sur le rond-point. Tout le monde prend la direction "Ardrycourt". »

*Le 21 novembre 2018, 19 h 25*

Elle est endormie à côté de moi, dans l'habitacle luxueux de ma voiture. En cas de contrôle de police, nous serons un couple dont la femme est excessivement fatiguée. Depuis mon départ de Paris, j'ai un mauvais pressentiment. L'impression que ça sera mon dernier tour de piste. Il faut qu'il soit inoubliable. En sortant de l'autoroute, je me suis souvenu d'une conversation avec Philippe. Il me racontait l'une de ses premières filoches, en m'expliquant que le mec qu'ils suivaient avait fait un « coup de sécurité ». Il a commencé à m'intéresser. Il me les a tous expliqués : ceux dans le métro, quand on descend et qu'on remonte dans son wagon, celui des deux tours de rond-point, les feux rouges brûlés... Depuis, je le fais à chaque fois que je vais au turbin. On ne sait jamais. Un soir, il m'a aussi parlé de la façon dont on pouvait localiser un téléphone grâce aux histoires de bornes. Depuis, je coupe mes deux portables et donne pour instruction aux clients de ne jamais m'appeler moins de trois heures avant. J'ai toujours été un peu méfiant, mais, avec ma nouvelle entreprise, je suis devenu complètement parano.

Il n'y a rien de plus glauque qu'une départementale pas éclairée. Pleins phares, j'avance à toute vitesse, ne voyant défiler devant moi que les traits blancs dessinés sur le goudron. Autour de la voiture, l'ombre inquiétante des arbres semble vouloir nous écraser. Heureusement qu'Élodie est endormie. Si elle savait ce qui l'attend, elle hurlerait, se débattrait, et je ne pourrais pas savourer tranquillement mon moment préféré. Celui où je peux encore reculer, celui où je contrôle tout. Mes clients, elle, moi. Je pourrais faire demi-tour, maintenant. La ramener chez elle en lui disant qu'elle s'est simplement endormie dans ma voiture. Elle ne s'en souviendrait pas, c'est le premier avantage du GHB. Le deuxième, c'est qu'elle n'en aurait aucune trace dans le corps. J'ouvre le vide-poches et vois mon 9 mm et mon couteau. Mes papillons dans le ventre reviennent. Je pense au moment où Valmy la retrouvera. Il ne saura jamais qu'elle a été droguée, il pensera qu'elle est venue de son plein gré pour s'envoyer en l'air dans l'endroit le plus glauque que je connaisse : le sanatorium d'Ardrycourt. Je m'engage sur un petit chemin cahoteux. Les branches des buissons frôlent mes fenêtres, fendant le silence d'un bruit légèrement inquiétant. Après quelques mètres, la bâtisse se dresse devant moi. Haute, imposante, recouverte de graffitis. Je suis venu tout préparer hier. C'est le moment. Sur le parking, un Range Rover gris est stationné. La lumière de mes phares révèle quatre silhouettes qui patientent à l'intérieur. Ils sont là. En piste...

# Chapitre 32

Le sanatorium d'Ardrycourt… Max en avait parlé à Philippe. Au détour d'une conversation, sans insister dessus. Par un mécanisme du cerveau inexplicable, il s'en est rappelé. Les trois voitures empruntent des chemins de plus en plus étroits. À l'approche du bâtiment, Philippe donne l'ordre de couper les phares, de garer les voitures sur le bas-côté et de continuer la progression à pied. Ils descendent de voiture. Chacun enfile son brassard « Police ». Au moment où Philippe s'engage, en premier, vers le sanatorium, Antoine lui attrape le bras.

« On prévient des renforts ?

– On n'a pas le temps, Antoine. Il faut aller sauver cette fille. On est six, il est seul. De ce que l'on sait, il n'est pas armé…

– Il y a les clients, aussi. »

Valmy le prend à part.

« Je sais, mais là, on ne peut pas attendre… Tu préviens le commissariat local, mais on y va, et ils nous rejoindront. »

Antoine ne moufte pas. La voix et le regard de Valmy ne peuvent souffrir aucune contradiction. Armes au poing, le groupe progresse sur le sentier à la lueur des lampes torches. Au bout de quelques mètres, une ombre imposante se dresse devant eux. La lune, pleine, dessine timidement la silhouette du bâtiment désaffecté. Un vent froid vient s'engouffrer entre leur peau et leurs vêtements, profitant du moindre interstice pour les faire frissonner. Hakim fait voyager le faisceau de sa lampe autour de lui, laissant apparaître deux voitures. Julien et lui se dirigent vers elles. D'un signe de la main, les deux ripeurs indiquent au groupe que le break est bien celui de Max. Après un rapide passage au fichier, ils identifient le deuxième véhicule : un 4x4 loué à une agence parisienne. En inspectant les alentours de la voiture de Max, Philippe perçoit un léger scintillement au sol. Quand il ramasse l'objet, il est obligé de s'appuyer sur la carlingue. Une boucle d'oreille Art déco. Il la reconnaîtrait entre mille. Elle appartient à une paire offerte à Élodie lors d'un voyage à Prague. Une pièce unique. Il ne peut pas se tromper. Jean s'approche de lui.

« Philippe, ça va ? »

Valmy n'arrive pas à prononcer un mot. Jean le secoue.

« On n'a pas le temps, là. Dis-moi ce qu'il se passe. »

Il lève vers son procédurier un regard embué.

« La fille avec lui, c'est ma femme. »

Jean ne dit rien et se dirige vers l'intérieur du bâtiment. D'instinct, il donne des instructions.

« On rentre tout de suite et on fout un coup de pompe dans chaque lourde. On se sépare en deux groupes. Antoine, Hakim et Julien. Aline et Philippe avec moi. C'est parti. »

Chacun exécute, sans réfléchir, les ordres du plus ancien du groupe.

Une porte en plexiglas grinçante mène à l'intérieur. Quelques vieux néons éclairent le couloir. Philippe regarde au bout. Il imagine Élodie à la merci de Max. Les yeux noirs du tueur plantés dans ceux de sa femme, après qu'il s'est amusé avec elle, juste avant qu'il ne porte le coup fatal. En y pensant, il serre son calibre. Fort. Il regarde Jean et Aline, leurs armes pointées devant eux, leur attitude professionnelle. Il devrait rester avec eux, laisser Jean mener les opérations. Il n'a plus assez de discernement.

Une décharge électrique parcourt son corps. Il se met à courir, seul. C'est maintenant, au crépuscule de sa carrière, que sa vie bascule.

*Le 21 novembre 2018, 20 h 02*

Cet hôpital abandonné me fout les jetons.
Je n'entends que le bruit de mes pas sur le
sol. Rien d'autre n'existe autour de moi. J'ai
laissé mes collègues derrière et je cours de
plus en plus vite, dans la froideur du sanatorium d'Ardrycourt. La nuit est noire. Seule
la lumière blafarde des rares néons qui
fonctionnent encore me permet de voir où
je mets les pieds. Je n'ai qu'une idée en tête.
La sauver. À tout prix. Mon pied dérape et je
manque de tomber. Putain de costard. J'ai
cinquante ans, mon corps fatigue. Je serre
fort mon arme. Si fort que j'ai l'impression
que les mots Sig Pro resteront gravés dans
ma paume. Le cliquetis de mes menottes
dans la poche de ma veste. Passer les bracelets à cet enfoiré. J'accélère. Le sang bat
de plus en plus fort sous mes tempes. Je
n'entends plus que les battements de mon
cœur. De l'écume se forme sur mes lèvres.
Je sens des gouttes de sueur sous ma chemise. Malgré le froid de novembre, ma veste

me tient trop chaud. Ne pas la jeter. Je dois la garder sur moi. Pour la sauver. Il faudra bien que je la couvre pour la sortir de là. Je m'arrête. Au loin, un bruit de métal. Plus j'avance, plus la haine me prend aux tripes. Pendant quelques secondes, je pense que les menottes ne seront pas nécessaires. Une bavure. Une seule, dans une carrière sans taches. Qu'ai-je à perdre, finalement ? Je me suis laissé balader. Une colère noire vient frapper le tréfonds de mon âme. Alors que le bruit métallique se rapproche, je l'identifie un peu mieux. Le son des chaînes. Son rituel a déjà commencé. J'accélère ma course. Chaque muscle de mon corps est une source de douleur indescriptible. Je fais taire mon cerveau, qui me somme d'arrêter. Mon bras gauche me lance. Comme une barre qui me transperce la poitrine. Le bruit se rapproche. Je suis tout près. Les deux-tons des renforts, au loin. Je ne suis plus seul. La réalité me rattrape. C'est maintenant ou jamais. Je n'aurai pas une autre occasion. J'accélère, encore. Le bruit est maintenant bien distinct. Sur ma droite, une porte. Un rai de lumière passe par l'embrasure. Elle est derrière, à la merci d'un sadique. Je me positionne face à l'entrée, braque mon arme et ouvre d'un coup de pied.

*Le 21 novembre 2018, 20 h 03*

Ils n'ont même pas pu commencer à s'amuser avec elle. En sous-vêtements sur la table, elle n'a aucune conscience de ce qui se passe. Des bruits sourds contre la porte « BOUM, BOUM », la voix enragée de Valmy.

« Max… Ouvre cette putain de porte, je sais que t'es là. »

Il cogne comme un beau diable, la force qu'il déploie m'impressionne. Il a dû comprendre qui était sur la table. Je la regarde. Pendant quelques secondes, plus rien n'a d'importance. Ses formes gracieuses allongées, la courbe de ses seins qui se meut tranquillement, au rythme de sa respiration. Elle semble extérieure à toute l'agitation. Ses yeux sont clos, son nez dessine un profil parfait, rehaussé par des lèvres charnues. Elle est sublime. Le cadenas commence à faiblir sérieusement. Il est temps d'improviser. J'ai besoin de temps pour accomplir mon office, et là, je n'en ai plus. Dans le

fond de la pièce, mes clients sont recro-
quevillés. Bande de pleutres. En caleçon,
apeurés. Ils savent que, s'ils se font choper,
leurs carrières sont finies. Dommage pour
un dir' com', un chirurgien et deux professeurs d'université. Unis dans la perversion
depuis des années. Ils me regardent, sup-
pliants. Ils voudraient que j'aie prévu une
échappatoire. J'en ai bien une, mais je ne
suis pas sûr qu'elle leur plaise. Je sors mon
9 mm, logé dans le creux de mes reins, sous
ma chemise. Ils hurlent, maintenant. Le
cadenas est en train de céder. Je n'ai plus
que quelques secondes. Ils m'implorent,
j'aime bien ça. Je prends un bref instant
pour savourer... Puis leur colle un pruneau
à chacun. Dans la tête, sans faire dans le
détail. Les coups de Valmy sont de plus
en plus forts. J'entends une seconde voix
d'homme. « Attends, Philippe, on y va en
même temps. » C'est le moment. Je braque
mon arme sur la tempe d'Élodie et lui tire
une balle dans la tête.

## Chapitre 33

*Le 21 novembre 2018, 20 h 05*

Quand Philippe et Jean rentrent dans la pièce, Max est à genoux, son arme posée devant lui, la culasse à l'arrière, le chargeur à côté. Il a les mains derrière la tête. Sa chemise habituellement immaculée est constellée de taches de sang et de morceaux de cervelle. Il regarde Valmy droit dans les yeux et lui adresse un sourire mauvais. Le monde de Philippe s'écroule autour de lui. Face à lui, Max, désarmé, impuissant. Le corps d'Élodie qui repose sur la table, un filet de sang qui fait son chemin le long de sa tempe. Philippe ne supporte pas cette vision. La colère l'envahit. Sourde. Noire. Les yeux de Max ne cillent pas. Les siens non plus. Max se met à rire. Le flic serre les dents, le met en joue et s'approche, suivi de ses collègues. Il balance un coup de pied dans le calibre de Max, resté à terre. Son regard se brouille, son visage est crispé…

C'est maintenant. Sa vie peut basculer. Plus question de respecter la moindre règle.

Son doigt se pose sur la détente. Son regard passe des yeux mauvais de Max au cadavre de sa femme. Face à elle, il faiblit pendant une seconde et baisse son arme. Jean en profite pour la lui retirer des mains. En une fraction de seconde, Julien et Hakim passent immédiatement derrière Max et lui mettent les mains dans le dos. Valmy s'approche, les yeux déments. Antoine et Jean le retiennent. Jean lui murmure :

« Ne lui donne aucune raison de se plaindre. On va le niquer à la loyale, et il n'en reviendra pas. »

Antoine attrape violemment son chef de groupe et le sort de la pièce manu militari, oubliant tout principe hiérarchique. Philippe se débat, son adjoint lui assène une énorme claque. Aline vient à la rescousse et attrape également le bras de son chef. Jean est face à Max. Hakim et Julien le relèvent. Le procédurier approche son visage à quelques centimètres de celui du tueur.

« J'espère que tu es prêt, connard. C'est maintenant que le cauchemar commence. »

Max soutient son regard sans ciller.

« Si tu savais, papy. Ma vie est un cauchemar. Vous allez en chier, c'est la dernière fois que tu entends le son de ma voix. »

La pièce ressemble à une scène de guerre. Les cadavres des clients sont empilés les uns sur les autres, en caleçon et chemise. Les renforts sont arrivés avec une puissante lampe torche qui éclaire la pièce. Des accessoires sadomaso sont accrochés partout. Au-dessus de la table sur laquelle repose le corps d'Élodie, des chaînes sont suspendues. Au bout de longues minutes, l'Identité judiciaire arrive, suivie par Brizard et Graziani. Pendant que le reste du groupe procède aux premières constatations face aux cinq corps, Jean et Philippe sont assis dans la voiture de service. Les deux commissaires s'approchent. Brizard prend Jean à part et laisse le patron avec Valmy.

« Bon, Jean, c'est vous qui avez le calibre de Philippe ?

– Oui, patron, ne vous inquiétez pas. Il est solide. Il ne fera pas de conneries. »

Brizard adresse à Jean un regard désolé.

« Le taulier a décidé de l'écarter de la garde à vue de Max. Il va être mis sur la touche pour éviter toute irrégularité dans la procédure.

– Je pense qu'il comprendra.

– Je sais, je le connais depuis longtemps. Mais il va falloir rester avec lui. On a contacté Louis, le collègue chez qui il loge depuis deux semaines. Ça serait pas mal que le groupe se relaie pour aller le voir. Le contrecoup va être difficile.

– Ne vous en faites pas, patron. On n'a jamais laissé tomber l'un des nôtres. »

Graziani se tient face à Valmy. Plus petit que lui, il doit légèrement lever la tête pour pouvoir soutenir son regard.

« Ça va, Philippe ? »

Il reste silencieux plusieurs secondes, à regarder ses poings, serrés. Il sent gronder en lui une colère sourde. La réalité de la mort d'Élodie ne l'a pas encore frappé.

« Tout ce que je veux, c'est faire cracher le morceau à cet enfoiré.

– Justement. Vous êtes un flic d'expérience, je ne vais pas y aller par quatre chemins. Je ne veux pas vous voir au 36 tant que l'autre malade n'est pas déféré. C'est trop dangereux. Et puis, vous allez avoir les obsèques de votre femme à préparer… »

Une perle salée naît au coin de l'œil ridé de Philippe et fait son chemin le long de sa joue pour venir se perdre dans sa barbe de trois jours.

« Patron… Vous ne pouvez pas me faire ça. »

Graziani a raison. Il le sait. Tout est devenu trop personnel. Au procès de Max, il sera sur le banc de la partie civile. Mais il ne peut se résoudre à lâcher. Le chef de service lui pose la main sur l'épaule.

« Ce que je ne peux pas vous faire, c'est vous mettre dans une situation où vous seriez responsable de l'annulation de sa garde à vue. On va obtenir des aveux, Philippe. Et on va enchrister cette ordure. »

## Chapitre 34

*Le 22 novembre 2018, 00 h 15*

« Mais c'est qu'il écrit bien, ce con… »

Antoine et Julien feuillettent ensemble un petit carnet rouge, trouvé entre deux livres dans la bibliothèque du tueur. Assis sur une chaise au milieu de son salon, il regarde les enquêteurs retourner son appartement. Antoine, qui n'avait jamais eu un mot plus haut que l'autre à l'égard d'un mis en cause, s'approche de l'ancien indic de Valmy et lui met un coup de cahier sur la tête. L'autre lui jette un regard mauvais.

« Pas vrai, que t'écris bien, ducon ? "Je dois ressembler à un dément, car son visage se crispe dans une grimace ignoble. Je la hais. Mes mains se posent sur son cou. À travers ses paupières boursouflées par les coups, des larmes se mettent à couler. Elle a compris. Pas question de laisser un témoin." Non, mais t'as vu ça, Julien ? Il est complètement taré. T'es cuit, mon pote. Cuit. »

Max le fixe, silencieusement, encore et toujours…

« On sait tout, mon grand. On a enquêté sur toi comme jamais avant de venir te choper. On sait même que ta mère faisait la pute pour se payer sa came. »

Pour la première fois depuis une dizaine d'heures, un son sort de sa bouche.

« Vous aviez beau tout savoir, ça ne vous a pas empêchés d'arriver trop tard pour sauver la femme de votre chef... »

Antoine voit rouge et s'apprête à mettre une énorme gifle au suspect quand Julien le retient. Il le prend à part et laisse le tueur en compagnie de Jean et Hakim.

« Antoine, tu te calmes tout de suite. C'est ce qu'il cherche... On est à un cheveu d'être dessaisis. On doit avoir le doigt sur la couture du pantalon. Tu fais chier, ça fait des années qu'on te connaît avec un balai dans le cul, tu ne peux pas le garder quarante-huit heures de plus ? »

La suite de la perquisition est fructueuse. Dans la cave de Max, on découvre de grandes bâches jetables, des produits d'entretien et une tenue de groom. Les révélations de son journal intime et l'ADN, qui vient d'être confirmé par l'Identité judiciaire, suffiront à une cour d'assises.

Une fois la porte de la cellule refermée sur Max, que l'on a habillé d'une combinaison en papier pour placer ses vêtements sous scellés, les enquêteurs se retrouvent dans l'*open space*. Vu le caractère exceptionnel de l'affaire, le commissaire Graziani a décidé de renouer avec ses années de chef de section en prenant la direction des opérations. Il se tient à la place de Valmy, face au grand tableau blanc.

« Je commence par vous annoncer que l'autopsie de la femme de Philippe aura lieu demain matin. Il devrait récupérer le corps dans la foulée, et les obsèques auront lieu le lundi prochain à onze heures. Inutile de vous dire que nous serons tous présents. »

Chacun acquiesce en silence.

« Par ailleurs, vous ne serez pas surpris d'apprendre que la garde à vue de notre taré va être prolongée. Comme il n'a pas voulu d'avocat, on va avoir le luxe de choisir nos horaires. Donc Jean et moi allons le réentendre en pleine nuit, quand il sera le plus exténué possible. »

Graziani se tourne vers la photo anthropométrique de Max, affichée sur le tableau. Il le dévisage quelques secondes, puis reprend.

« Vous vous doutez bien que le juge a demandé un examen psychiatrique. Le psy sera là à dix-huit heures. En attendant, Hakim, je voudrais que vous alliez faire une photocopie du journal intime pour chacun d'entre nous. On va tous le lire, et la psy de l'OCRVP aussi. Ça pourrait nous donner des billes. »

Antoine intervient.

« Je l'ai un peu secoué, et il n'a réagi que quand je lui ai dit qu'on savait que sa mère faisait le tapin. Sans doute un point sensible...

– C'est maigre, mais c'est un point d'entrée. J'ai eu le directeur au téléphone, et il a accepté qu'on entende Maxime Richard dans mon bureau. On va lui faire le coup de la moquette. Si certains veulent rentrer se reposer, allez-y. Il ne sera entendu qu'à deux heures du matin. »

Refusant le répit que leur accorde leur chef, tous les membres du groupe restent sur le pont pour décortiquer la prose de Max. La nuit tombe sur le Bastion, tandis qu'ils se plongent dans les méandres de l'esprit malade du tueur.

Quelques minutes avant l'audition, on aménage le bureau du patron de façon à ce que le piège se referme. À l'heure fatidique, Graziani resserre sa cravate et descend lui-même vers les cellules. Sur l'écran de la caméra, Max dort paisiblement. C'est le moment. Le commissaire divisionnaire s'approche de sa cellule sans bruit avant de tambouriner brutalement à la vitre.

« Monsieur Richard, levez-vous, on va en audition. » Docile, Max se lève, se retourne et laisse le chef de service lui passer les menottes.

Pendant quatre heures, les enquêteurs l'assènent de questions. Lui ne décroche pas un mot. À travers les fenêtres du bureau, le jour ne va pas tarder à poindre. Graziani, en bras de chemise, cravate desserrée, propose des cafés à tout le monde. Pour la première fois depuis trente-trois heures de garde à vue, le regard de Max change. Un mouvement imperceptible de ses iris, comme s'il remerciait les enquêteurs de ce simple égard. Graziani et ses hommes sentent une brèche. Avant même qu'ils n'aient eu le temps de s'y engouffrer, Max ouvre la bouche.

« Vous ne me ferez pas jacter, commissaire. J'ai beaucoup apprécié vos efforts, mais ce n'était pas la peine de faire une nuit blanche. Je veux parler à Philippe Valmy, personne d'autre. »

Deux heures plus tard, Philippe est assis face à son chef. Les traits tirés, la bouche pâteuse à cause du Lexomil, le flic fait peur à voir. Michel Graziani lui pose une main sur l'épaule.

« Bon, il fallait s'y attendre. Il ne veut parler qu'à vous. Comment vous vous sentez ?

– Comment voulez-vous que j'aille ? »
Puis, il concède.

« Mal, patron. Ma femme est morte, et un type que je considérais comme mon ami est en fait un tueur sanguinaire.

– Justement, ce que j'ai à vous demander n'est pas facile. Il ne lâche rien en audition et ne veut parler qu'à vous. Ça ne sera pas recevable en procédure, mais si vous arrivez à obtenir un début d'aveu, ça nous permettra d'apporter des réponses aux familles des victimes. Je les ai régulièrement au téléphone, elles en ont besoin, vous comprenez ? »

Valmy laisse tomber sa tête entre ses mains.

« Philippe, si je ne pensais pas que c'était essentiel, je ne vous aurais pas fait venir. Et je pense que vous aussi, vous en auriez besoin, non ? »

Le flic relève l'échine et, les yeux embués, acquiesce.


Quelques minutes plus tard, Philippe s'installe dans une salle d'audition.

Quand Max arrive, il tente de faire bonne figure.

« Tu voulais me voir ? »

Le tueur se met à rire, doucement.

« Décidément, je peux vous faire faire ce que je veux… »

Les poings de Philippe se serrent fort.

« Je ne te dirai rien, tu peux me renvoyer dans ma cellule. J'avais juste envie de voir ta gueule, connard. »

Valmy se retient de lui sauter à la gorge. Il tente de lire dans les yeux de son ancien ami. Face au vide, il sent sa colère s'évanouir…

« T'es malade, putain… Gravement malade, Max.

– Mais je veux bien t'avouer un truc : j'ai pris un pied formidable à te faire sortir du cocon dans lequel tu devais être précieusement conservé par Louis et les autres flics jusqu'ici. Je crèverai avec mes secrets, Valmy. Tu peux dire à ton patron de me déferer. »

Philippe a compris. Ils se sont fait berner. En refermant la porte de la cellule sur Max, il reste quelques secondes face à la vitre. Son ancien indic se tient derrière, les yeux plantés dans les siens. Pendant un instant, leurs reflets se confondent. Puis, le flic recule et tourne les talons. Il a perdu. Pendant qu'il marche dans le couloir aux néons froids, une voix s'élève derrière lui.

« Adieu, poulet… »

*Fresnes, le 17 août 2021*

*Cher Philippe,*

*Depuis six mois, je suis dans cette mai-son centrale. Perpétuité avec une période de sûreté de trente ans. Ils ne m'ont pas épar-gné. Toutes les semaines, je vois un psy. Ça m'amuse un petit peu. Si je tiens bien mon rôle, je ressortirai dans trente piges. Le reste du temps, je suis seul face à moi-même entre ces murs aux pierres tristes. Je n'ai survécu jusqu'ici qu'en pensant à cette lettre que j'al-lais t'écrire, une fois les assises terminées. D'ailleurs, tu as été très bon. Quand mon avocat a cherché à te déstabiliser, tu n'as pas cillé. J'ai été très impressionné. Tu vois, moi non plus, je n'ai pas cillé. C'est mon dernier crime : avoir laissé les familles dans la dou-leur, elles ne pourront jamais vraiment faire leur deuil. Ça m'excite encore beaucoup. Du fond de ma cellule, c'est l'une de mes dernières sources de bonheur. J'ai appris que vous aviez rendu la vie difficile à mes* anciens clients... Quelle maigre victoire à côté de tout ce que je t'ai fait subir. Mais bon, tu devras t'en contenter. J'aime beaucoup repenser à toute cette période.

Bizarrement, quand je revis mes crimes, la fois où j'ai exécuté Élodie me revient sans cesse. Je n'ai pourtant pas eu le temps de me lancer dans mon rituel. J'ai expédié le boulot. Une balle dans la tête, froide, rapide, insipide... C'est peut-être le fait de t'imaginer en train d'essayer de défoncer cette porte pour la sauver, impuissant... Je suis sûr que tu as su, que tu as compté les coups de feu, en t'acharnant sur cette lourde, que tu as deviné qu'elle était morte. Quand tu t'es retrouvé face à moi... Quel pied ! Je suis tellement déçu que ton collègue ait été aussi intelligent, tellement triste que tu n'aies pas pu donner libre cours à ton instinct. Si tu savais à quel point ça soulage d'ôter la vie. Comme dans Seven, tu te souviens qu'on avait parlé de ce film... Mon cher Philippe, je suis si content de pouvoir continuer à te hanter jusqu'à la fin de mes jours. Je t'écrirai quelques lettres, depuis le trou dans lequel je pourris à cause de toi. Tu ne m'oublieras jamais. Quand tu commenceras à t'en remettre, à chaque fois, je reviendrai te hanter. En souvenir de nos dîners à L'Entrecôte, entre potes. Tout ce que tu m'as confié sur un coin de mon comptoir... Ta stérilité, tes angoisses... Je les utiliserai pour te détruire à distance. Et ne t'imagine même pas que je vais être malheureux, ici. Je vais te confier un petit secret : il y a toujours eu des caméras planquées dans mon club, et bizarrement, beaucoup de gens haut placés sont prêts à améliorer mes conditions de détention pour que les images restent chez mon avocat. Me voilà seul avec mes fantasmes, libre d'imaginer ce que je veux dans un confort relatif, mais suffisant. Finalement, je me demande lequel de nous deux est le véritable prisonnier... Car tu auras beau vouloir t'échapper, je viendrai toujours me rappeler à ton bon souvenir.

Je t'embrasse affectueusement.

# Remerciements

Je tiens à remercier ceux qui m'ont accompagné depuis le début de mes aventures littéraires, magiciens bienveillants qui ont fait de mes mots des livres. Marie, mon épouse, romancière de talent et impitoyable relectrice, Maïté, Marc, Camille, Olivier, Léa, Jérôme, Danielle, Christophe, Pierre, Laurent, René et tant d'autres... Merci aux équipes des Éditions Fayard pour leur bienveillance et leur efficacité et aux membres du jury qui se sont prononcés en faveur de mon roman.

Impossible de ne pas avoir une pensée affectueuse pour les flics qui m'ont inspiré, tant pendant ces belles années de PJ qu'au fil de toutes les pages que j'ai écrites : Francis, Bruno, Allison, Momo K, Momo Z, Fabrice, Pierre, Yves, Vincent, Fred, Baz, Marc, Cédric, Christophe H, Philippe H, Ivan, et tous ceux qui, obscurs et sans gloire, œuvrent sans relâche pour que les rues de Paris soient plus sûres...

Enfin, merci Maman, pour ton soutien sans faille. (Je sais que tu seras la seule à lire les remerciements jusqu'au bout.)

*Photocomposition Nord Compo à Villeneuve-d'Ascq*

Impression réalisée par
CPI Brodard & Taupin
Avenue Rhin et Danube
72200 La Flèche (France)

pour le compte des Éditions Fayard
en octobre 2019

Fayard s'engage pour
l'environnement en réduisant
l'empreinte carbone de ses livres.
Celle de cet exemplaire est de :
0,250 kg éq. CO₂
PAPIER À BASE DE    Rendez-vous sur
FIBRES CERTIFIÉES   www.fayard-durable.fr

N° d'impression : 3034994
85-6134-9/01